MATIÈRES D'HIVER

MATIÈRES D'HIVER

POUR CRÉER ET DÉCORER

TESSA EVELEGH

Photographies de DEBBIE PATTERSON

Traduit de l'anglais par Ariel Marinie

MANISE

Édition originale 1998 en Grande-Bretagne
par Lorenz Books sous le titre *Winter Wildcrafts*

© 1998, Anness Publishing Limited
© 2000, Manise, une marque des Éditions Minerva
(Genève, Suisse) pour la version française

Responsable éditoriale : Joanna Lorenz
Éditrice : Helen Sudell
Maquettiste : Nigel Partridge
Photographe : Debbie Patterson
Stylisme des projets : Tessa Evelegh

Traduction : Ariel Marinie

ISBN 2-84198-152-5
Dépôt légal : septembre 2000
Imprimé à Singapour

SOMMAIRE

INTRODUCTION

En puisant votre inspiration dans la nature, vous ne serez jamais à court d'idées. Chaque mois apporte de nouvelles matières et, même si celles-ci reviennent chaque année, elles parviennent encore à surprendre. Contrastant avec celles qui les précèdent, elles en acquièrent un charme sans cesse renouvelé. Au fil des douze mois de l'année, chaque fruit, chaque fleur, chaque feuille et chaque brindille apparaissent sous un jour nouveau qui offre des possibilités illimitées.

Quand la nature se prépare à affronter les rigueurs de l'hiver, sa générosité représente un véritable défi. À cette époque de l'année, inutile d'être un artiste confirmé pour créer à partir des matières naturelles glanées au cours de vos promenades. Que ce soient les fruits et légumes mûrs en robe violette, verte, rouge ou orange, les épis de blé, glands brillants et châtaignes ou les feuilles d'arbre aux couleurs flamboyantes – quelle matière artificielle pourrait offrir une telle diversité et une palette aussi riche ?

La collecte des trésors naturels est une source de joie toujours renouvelée. Vos promenades seront d'autant plus agréables que vous serez à l'affût de formes et de couleurs intéressantes et que vous aurez la satisfaction de revenir chargé de votre butin ! Mais n'oubliez tout de même pas l'un des principes de la nature à cette époque de l'année : constituer aux bêtes sauvages des réserves pour l'hiver – ne ramassez donc que modérément les fruits à écale. Vous pourrez toujours compléter vos compositions avec des feuilles mortes, des fruits du verger, des légumes, du blé, des fleurs et autres produits de culture. Au cœur

CI-DESSUS – Sous le feu d'un rayon de soleil, les couleurs flamboyantes des feuilles d'automne donnent à la saison un éclat vibrant.

de l'hiver, les feuillages, comme ceux du sapin, du houx et du lierre, sont moins vitaux pour les bêtes sauvages ; évitez toutefois de cueillir leurs baies et utilisez plutôt celles que vous achèterez chez le fleuriste pour animer vos bouquets.

Outre les feuillages, les fleurs et les fruits frais, vous pouvez utiliser des matériaux recueillis pendant l'été et naturalisés. Les immortelles, les capsules de graines, les herbes, feuilles et fruits séchés font beaucoup d'effet. Les végétaux traités à la glycérine offrent des possibilités nouvelles car ils

CI-CONTRE – Les pommes aux belles joues rouges annoncent que l'automne a commencé.

permettent de créer des objets plus durables comme des tableaux, des cadres et autres accessoires artisanaux. Les feuilles séchées et pressées peuvent servir de tampons à imprimer, de même que les fruits et les légumes coupés tels que les pommes, les poires ou les pommes de terre.

La clé de votre réussite : ne pas vous lancer dans des projets trop compliqués. Tenez-vous en à des idées simples et laissez la beauté des matières naturelles faire le reste. Vous pouvez utiliser une seule sorte de fleur, de fruit ou de feuillage à la fois, ou au contraire vous inspirer des haies qui bordent les chemins de campagne pour créer des harmonies de couleurs saisissantes.

Les quelque cinquante projets présentés dans cet ouvrage représentent une source d'inspiration plutôt que des modes d'emploi à suivre à la lettre. Ils constituent une sorte d'album-souvenirs d'une saison. Amusez-vous à les réaliser, ou utilisez-les comme base pour inventer vos propres créations, en vous laissant guider par la nature des matériaux amassés au cours de vos promenades.

CI-CONTRE — Fruits, fleurs, baies et feuilles abondent en automne.

7

TRAVAILLER AVEC LA NATURE

Travailler avec les matières naturelles est
une inépuisable source de joie, et les techniques
de base nécessaires s'assimilent facilement.
Vous pouvez vous contenter simplement de
disposer quelques branches d'arbre sur la table
pour donner un petit air sauvage à votre intérieur.
Cependant, savoir comment récolter, naturaliser,
presser et découper requiert une certaine attention.
Les chapitres suivants vous permettront de vous
familiariser avec les techniques indispensables
pour réaliser les projets présentés dans cet ouvrage,
ou inventer vos propres créations.

*CI-CONTRE — Première chose à faire pour réaliser ces projets :
amasser une gamme variée de matériaux naturels intéressants.*

COLLECTER LES MATÉRIAUX

La chasse aux matériaux naturels, à l'occasion de longues promenades dans les bois par une belle journée d'automne, est l'une des grandes joies de cette saison. Outre le déluge de feuilles mortes aux somptueuses couleurs, la nature recèle mille autres merveilles : marrons brillants, châtaignes cachées dans leur bogue

CI-DESSOUS — Le maïs permettra de structurer vos compositions florales, vos guirlandes et vos couronnes et se conservera tout l'hiver.

hérissée de piquants, glands, pommes de pin, brindilles, lichens… Distribuez des paniers à vos enfants pour les faire participer à votre chasse aux trésors, et ils y prendront un plaisir fou.

Les récoltes d'automne sont donc une source précieuse de matériaux pour l'amateur de décoration et d'artisanat. Si vous aimez faire des gerbes de blé et des poupées de paille tressée, c'est le moment ou jamais ! Cependant, la chasse aux trésors peut se révéler plus difficile que vous ne vous y attendiez, car, depuis quelques années, les producteurs cultivent des variétés à tiges courtes. Les variétés à tiges longues sont vendues directement aux magasins de fournitures d'artisanat qui, souvent pris d'assaut, sont vite en rupture de stock.

Le maïs, lui aussi, est riche de nombreuses possibilités. Les différentes variétés réunies offrent une gamme étonnamment vaste de couleurs, depuis les jaunes, les ors et les rouges jusqu'aux roux et aux bruns les plus profonds. Beaucoup d'épis se vendent séchés. Choisissez de préférence ceux qui ont gardé leurs feuilles parcheminées : lorsque vous les épluchez, ils ressemblent à des anges aux ailes diaphanes.

Les fruits de verger présentent de nombreux avantages : vous pouvez les utiliser sans crainte de dépouiller la nature. Sélectionnez de belles prunes violettes, des pommes vertes, rousses

CI-DESSUS — Les gerbes de céréales dorées sont le symbole des moissons. Les variétés à tiges longues, comme celle-ci, ne se trouvent désormais que chez les fournisseurs de matériel d'artisanat.

ou rouges, ou encore des poires vertes ou jaunes. Leur rondeur donnera de la structure à vos compositions. Ramassez les fruits tombés — un seul arbre peut vous en fournir une pleine coupe.

Dans les régions où l'on cultive le houblon, vous pouvez acheter des tiges fraîches directement

*CI-DESSUS — Les délicates fleurs du houblon,
légères comme des ballerines, font merveille
pour confectionner des guirlandes.*

*CI-CONTRE — Les pommes et les champignons sauvages
sont de superbes matériaux de décoration.*

aux producteurs. Avec ses délicates fleurs vertes,
le houblon est une plante ravissante qui fait de
merveilleuses décorations saisonnières.

À l'approche de l'hiver, ramassez des pignes,
depuis les minuscules pommes de mélèze jusqu'aux énormes pommes que l'on trouve sous
les pins. Au cœur de la saison froide, le houx,
le pyracantha et le cotonéaster se couvriront de
baies aux couleurs chaudes qui constituent un
matériau de décoration idéal.

TRAVAILLER AVEC LES FRUITS ET LES LÉGUMES

L'automne abonde en fruits et légumes qui conviennent aux décorations et aux compositions saisonnières. Leur diversité est infinie, depuis les énormes potirons orange jusqu'aux minuscules baies brillantes. Tous contribueront

CI-DESSOUS — Dessinez un motif sur un potiron, puis creusez à l'aide d'un outil de linogravure (gouge ou échoppe) en exerçant une pression régulière de façon à obtenir des lignes bien nettes.

à structurer vos réalisations en leur donnant texture et couleur.

Il existe bien des manières d'utiliser les fruits et les légumes en décoration. Les petits fruits, tels que les mûres et les myrtilles, peuvent être mis dans des bocaux qui, à leur tour, seront intégrés au sein de la composition. Les fruits de taille moyenne, comme les pommes, les poires, les prunes et les petites gourdes, peuvent être montés sur fil de fer de fleuriste de gros calibre, puis fixés sur des centres de table, des guirlandes ou des couronnes. Choisissez de préférence des fruits encore verts à la chair plus ferme, car ils dureront plus longtemps. Et pour donner un petit air de fête à vos assemblages, frottez-les avec de la cire à dorer d'encadreur, en laissant transparaître leur couleur naturelle.

On peut également sculpter les fruits. Les pommes et les poires sont faciles à graver : il suffit d'un petit couteau de cuisine pointu pour réaliser de jolis motifs géométriques simples. Sélectionnez des poires encore un peu vertes, dont la chair ferme réagit comme le bois. Badigeonnez de jus de citron les surfaces sculptées pour les empêcher de brunir.

Les légumes plus gros, comme les gourdes et les potirons, font de merveilleuses décorations, une fois vidés de leur chair et ornés de

CI-DESSUS — Pour ajouter une note plus riche à vos agencements automnaux, enduisez des fruits de cire à dorer d'encadreur. Montez les fruits sur fil de fer de fleuriste de gros calibre avant de les accrocher.

gravures. La manière de les sculpter dépend de la variété que vous utilisez ainsi que de la texture de la chair. Pour les variétés à chair molle, videz tout l'intérieur afin de pouvoir y placer une veilleuse qui éclairera les motifs gravés. Pour les variétés à chair ferme, dans certains cas impossibles à vider, contentez-vous de sculpter l'écorce à l'aide d'outils de linogravure.

CI-DESSUS — *Les bandes verticales font toujours de l'effet sur les poires : utilisez le fruit ainsi décoré pour orner votre table, ou faites-le cuire et servez-le en dessert.*

CI-CONTRE — *Les gourdes et les potirons offrent une grande diversité de formes qui se prêtent avec bonheur à la sculpture. Leurs teintes vont de l'orange vif à des tons crème et bleu-vert plus pâles ; quant à leur forme, elle évoque aussi bien le carosse de Cendrillon qu'un simple moule à gâteaux à bords dentelés.*

NATURALISER DES FEUILLES À LA GLYCÉRINE

Les feuilles d'automne nous émerveillent sans cesse par la splendeur et la diversité de leurs couleurs. Chaque feuille peut se parer de différentes teintes à la fois, du vert foncé à l'orangé et du bronze au jaune en passant par le rouge, ce qui en fait de véritables joyaux. Ramassez-les à peine tombées, avant qu'elles ne commencent à pourrir. Une fois à l'abri, elles sécheront naturellement et se recroquevilleront un peu, ce qui ajoutera de la texture à vos compositions. Vous pouvez aussi les presser ou essayer de les naturaliser en les mettant à tremper dans une solution à base de glycérine.

Les feuillages naturalisés gardent leur souplesse au lieu de se dessécher et de devenir friables, mais au prix d'une couleur souvent dénaturée. Certaines variétés de feuilles peuvent devenir plus foncées ; d'autres noircissent, tandis que la plupart prennent un aspect cuivré. Dans certains cas, le changement de couleur est plus apparent autour des nervures. S'il reste des baies, des boutons et même des glands sur les feuillages, naturalisez l'ensemble en même temps.

Il est essentiel d'utiliser des feuillages dont la sève continue de monter car ils doivent absorber la solution à base de glycérine. À mesure que l'eau est évacuée par la transpiration des feuilles, elle est remplacée par la glycérine dans les nervures, et c'est cela qui permet au feuillage de conserver une apparente fraîcheur.

Comptez un tiers de glycérine pour deux tiers d'eau très chaude, agitez bien et versez le mélange dans un vase à col étroit jusqu'à une hauteur de 7,5 cm. Pour préparer le feuillage, éliminez les feuilles abîmées, puis coupez les tiges en biais, juste avant de les tremper dans le récipient, afin qu'elles absorbent bien la solution. Elles doivent y rester environ deux à trois semaines.

Si les feuilles deviennent friables, cela veut dire qu'elles étaient trop vieilles pour cette méthode et que la sève ne montait plus, de sorte qu'elles n'ont pu absorber la solution. Ne vous laissez pas décourager par un tel échec, et recommencez en vous assurant, cette fois, que les feuilles sélectionnées ont encore toute leur souplesse.

CI-CONTRE — Un cadre de feuilles pressées donne un petit air de nostalgie à ces photos de famille.

CI-DESSUS — *Pour traiter du feuillage à la glycérine,*
faites tremper les tiges coupées en biais dans une solution
à base de glycérine pendant deux semaines. Elles
absorberont peu à peu la glycérine, qui les conservera.
Si elles ont absorbé toute la solution mais ne vous
semblent pas tout à fait prêtes, ajoutez un peu
de mélange dans le récipient et remettez à tremper.

CI-CONTRE — *Une fois prêtes, les feuilles sont souples et*
ont la consistance du cuir, avec une teinte légèrement cuivrée.
Les nervures présentent souvent une teinte plus foncée.

PRESSER DES FEUILLES

Au début de l'automne, les orange vifs, les ors et les roux remplacent peu à peu les verts de l'été. La même feuille peut revêtir plusieurs couleurs à la fois, comme une palette sur laquelle la nature essaierait ses harmonies.

On est toujours tenté de conserver ces joyaux que sont les feuilles d'automne. L'un des moyens les plus faciles de le faire est de les

presser. Comme, à la fin de l'été, elles sont plates et déjà un peu desséchées, elles s'y prêtent fort bien. Cette technique permet de préserver les coloris. Choisissez de jolies feuilles comme celles du sycomore, du chêne ou de l'érable, en sélectionnant celles qui sont en parfait état et présentent les couleurs les plus éclatantes. Évitez les feuilles trop sèches, qui risquent de devenir friables.

Si vous ne disposez pas d'une presse à fleurs, placez les feuilles entre des feuilles de papier buvard et posez de gros livres par-dessus. Vous pouvez également glisser une couche de feuilles entre les pages d'un bloc de papier à aquarelles. Posez plusieurs diction-naires par-dessus pour les aplatir. Laissez les poids en place pendant plusieurs jours avant de vérifier l'état des feuilles. Elles sont prêtes lorsqu'elles sont parfaitement plates et restent rigides, même si on les tient à la verticale. Sinon, remettez-les sous les poids pendant encore quelques jours.

Les feuilles pressées sont très friables, aussi maniez-les avec beaucoup de précautions. Rangez-les à plat dans une boîte, entre des feuilles de papier de soie, en attendant de les

CI-CONTRE – Les feuilles d'automne gardent leurs tons éclatants, même une fois pressées.

CI-DESSUS – Les petites pommes sauvages permettent de donner du relief et de la texture à vos compositions.

utiliser. Vous pouvez vous en servir pour déco-rer les pages d'un album de photographies, ou les coller sur du papier à grain artisanal et les encadrer.

SQUELETTISER DES FEUILLES

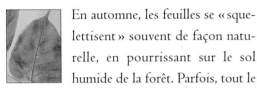

En automne, les feuilles se « squelettisent » souvent de façon naturelle, en pourrissant sur le sol humide de la forêt. Parfois, tout le tissu de la feuille disparaît, ne laissant plus qu'une délicate dentelle de nervures. Les feuilles ainsi « squelettisées » sont d'une beauté saisissante,

CI-DESSOUS — Pour accélérer le processus de « squelettisation », faites bouillir les feuilles dans une solution à base de détergent.

mais il est rare que leurs contours restent intacts. Au fil des années, on a cherché le moyen de reproduire ce processus artificiellement, tout en préservant les contours. La méthode traditionnelle consiste à placer les feuilles dans un récipient rempli d'eau de pluie et à les y laisser jusqu'à ce que les tissus commencent à se décomposer. Il suffit alors de les éliminer délicatement à l'aide d'une brosse à soies souples.

Aujourd'hui, on sait accélérer le processus. Versez une tasse de détergent dans une casserole d'eau et plongez-y les feuilles. Portez à ébullition, puis laissez mijoter à feu doux une demi-heure. Retirez les feuilles, rincez-les à l'eau froide, puis ôtez délicatement les tissus à l'aide d'une brosse à dents souple, pour ne laisser que le filigrane de nervures. Si le résultat n'est pas satisfaisant, faites tremper les feuilles dans une solution à base d'eau de Javel et rincez-les soigneusement.

Les feuilles « squelettisées » sont très fragiles, et il faut les manipuler avec précaution. Mais c'est un matériau de décoration raffiné qui se prête à toutes sortes d'utilisations. Vous pouvez les frotter avec de la cire à dorer d'encadreur et en faire un tableau, ou encore les disposer sous un léger voile de tulle pour décorer votre table de salle à manger. Placées sur une assiette ou au fond d'une coupe en verre, elles feront de délicats napperons pour servir des

CI-DESSUS — Les feuilles « squelettisées » sont très belles ; laissez-les à l'état naturel ou frottez-les avec un peu de cire à dorer d'encadreur pour les utiliser en décoration.

petits fours ou des chocolats. Ajoutez des feuilles « squelettisées » à des compositions florales, ou bien collez-les sur une boîte ou sur un meuble avant de les recouvrir de plusieurs couches de vernis successives, jusqu'à ce qu'elles semblent faire partie intégrante de l'objet.

TRAVAILLER AVEC LES AGRUMES

Certaines variétés d'agrumes ne parviennent à maturité qu'une fois l'hiver venu ; c'est pourquoi ces beaux fruits brillants et parfumés sont considérés depuis longtemps comme l'un des plaisirs de la saison froide. Outre leur intérêt culinaire, les oranges et les citrons sont utilisés à des fins décoratives depuis le Moyen Âge. Aujourd'hui encore, ils peuvent donner un petit air de fête à n'importe quel arrangement. Utilisés frais dans des guirlandes, des couronnes ou des milieux de table, ils permettent des décorations modernes et colorées ; séchés, ils offrent un aspect plus traditionnel.

L'une des manières les plus classiques d'utiliser les oranges en décoration consiste à en faire des pommes d'ambre, qui se conservent tout l'hiver. Piquez-les de clous de girofle, roulez-les dans de la poudre de racine d'iris et laissez-les sécher pendant plusieurs semaines. Cependant, l'opération est un peu risquée, car il arrive que les oranges moisissent. Aussi, certaines personnes préfèrent les faire sécher au four. Lorsqu'on les en sort, leur écorce garde la souplesse du cuir et n'est pas aussi dure ni aussi foncée que lorsqu'on les laisse sécher selon la lente méthode traditionnelle. Cette technique peut également s'appliquer à d'autres agrumes tels que les citrons, les kumquats et les citrons verts.

Pour faire sécher les agrumes au four, fendez l'écorce afin que l'air chaud puisse pénétrer jusqu'à la chair. Lorsqu'ils sont prêts, enfilez-les sur une broche. Posez les extrémités de la broche sur les bords d'un plat à rôtir profond, en suspendant les fruits de façon que l'air

CI-DESSOUS — On peut créer des motifs sophistiqués à l'aide d'un couteau à canneler.

CI-DESSUS — Fendez l'écorce du fruit afin que l'air chaud du four pénètre jusqu'à la chair et la dessèche.

CI-DESSOUS — Enfilez les oranges sur une broche en passant par les points où l'écorce est fendue pour ne pas abîmer le motif.

CI-DESSUS — Utilisez des clous de girofle pour confectionner des pommes d'ambre, en les disposant de façon géométrique ou en créant des motifs tout simples.

circule tout autour. Placez le tout dans un four préchauffé à 110 °C (th. 3) et laissez pendant douze heures.

On peut également sculpter les agrumes. On se sert pour cela d'un couteau à canneler, conçu pour inciser les fruits et les légumes. Choisissez des fruits à l'écorce très ferme, comme les citrons, pour obtenir des tracés bien nets. Faites d'abord des dessins en spirale ou des bandes verticales sur les fruits avant de

vous attaquer à des motifs plus élaborés. Si vous possédez un zesteur, utilisez-le pour tracer de fines lignes à intervalles réguliers ; vous pouvez également tenter des motifs en damier. Utilisez les citrons ainsi décorés comme ornements, ou coupez-les en quartiers pour garnir un plat de poisson ou des desserts.

CRÉER DES DÉCORATIONS DURABLES

Quelle que soit l'époque de l'année, confectionner des décorations fraîches qui se conservent longtemps est une préoccupation constante. Mais en hiver, en raison de la période des fêtes, c'est plus important encore. Heureusement, beaucoup d'arbres à feuilles persistantes sont pourvus de branches épaisses qui retiennent l'eau, ce qui, associé au faible taux d'évaporation par temps froid, constitue un grand avantage. Les branches de pin et de houx peuvent tenir deux semaines en extérieur, même sans eau.

Le plus important pour créer une décoration durable, c'est la base. Baignez de la mousse synthétique dans de l'eau, puis laissez-la s'égoutter

CI-DESSOUS — Préparez une base de mousse synthétique imprégnée d'eau et enveloppez-la dans du grillage. Vérifiez que les dimensions correspondent à celles de votre projet.

CI-DESSUS — Là où vous ne pouvez pas utiliser de mousse synthétique, mettez une fleur dans une fiole pour orchidée et fixez-la à la guirlande à l'aide d'un morceau de fil de fer.

avant de la couper. Les gros morceaux retiennent l'humidité plus longtemps, et si vous préparez une décoration de manteau de cheminée, coupez simplement la mousse en deux dans la longueur. Vérifiez que la forme vous convient, puis enroulez les deux morceaux dans du grillage.

Si vous voulez réaliser une couronne, vous aurez besoin de morceaux plus petits pour faire un cercle à peu près régulier – à moins que vous ne préfériez acheter une base de couronne toute prête chez le fleuriste. Disposez le feuillage et les fleurs sur la base, puis vaporisez de l'eau dessus à l'aide d'un vaporisateur. Une

fois la couronne accrochée, humidifiez-la chaque jour pour l'empêcher de se dessécher. Vous devriez pouvoir la garder au moins quinze jours.

Pour disposer des fleurs sans base en mousse synthétique (comme sur certaines guirlandes), mettez-les dans des fioles à orchidée, puis attachez-les à votre composition avec du fil de fer.

CI-DESSOUS — Les plantes à feuilles persistantes, comme ce houx diapré, gardent leur fraîcheur en hiver, même sans eau.

CI-DESSUS — *Pour prolonger la vie de votre composition, vaporisez de l'eau dessus tous les jours.*

CI-CONTRE — *Avec un minimum de soins, vous pouvez préserver la fraîcheur de certains arrangements végétaux pendant deux semaines, même en intérieur.*

L'ABONDANCE DE L'AUTOMNE

Saison de brumes et de douce abondance,

Amie intime du soleil mûrissant;

Conspirant avec lui pour charger de fruits

Les vignes qui entourent les avant-toits de chaume.

JOHN KEATS (1795-1821)

CI-DESSUS — Fruits et fleurs d'automne forment de jolies harmonies.

CI-CONTRE — Au début de l'automne, les fruits des vergers sont mûrs pour la récolte.

L'automne est la saison de l'abondance. Les arbres et les buissons ont encore leurs feuilles, bien que, désormais, celles-ci partagent les branches avec de gros fruits mûrs, des baies et des capsules de graines… Les haies regorgent de cynorhodons rouges tout brillants et de mûres juteuses. Au début de la saison, la terre est encore chaude, et certaines plantes de jardin telles que les reines-marguerites (*Aster*), les chrysanthèmes et les anémones du Japon (*Anemone hupehensis*) s'apprêtent à fleurir.

Si nous éprouvons parfois une pointe de nostalgie en sentant les premiers froids matinaux qui annoncent la fin de l'été, la nature,

CI-DESSOUS – Les cynorhodons, d'un rouge éclatant, sont l'un des joyaux de la nature en automne.

elle, semble accueillir avec plaisir les matins brumeux et les pluies d'automne qui lui donnent une dernière chance de faire gonfler ses fruits et de fabriquer les intenses couleurs dont se parent les feuillages et les fleurs à cette époque de l'année. La naissance de l'automne offre une somptueuse palette de violets, de rouges foncés, de roux, de dorés et de verts. Certaines fleurs d'été, comme les hortensias, sèchent sur leur tige, leurs pétales roses ou bleus prenant de nobles teintes métalliques.

C'est le temps des récoltes. Le doux parfum des pommes, des poires tardives et des noix symbolise le long travail de toute une année. Depuis que les hommes cultivent la terre, l'époque des récoltes est le moment où les peuples font l'inventaire de leurs stocks et évaluent s'ils ont suffisamment de nourriture pour affronter l'hiver, ou s'il faut se préparer à des temps difficiles. Autrefois, dans les communautés rurales, on accompagnait les récoltes de nombreux rites et traditions.

Jadis, dans certains pays, on croyait que l'esprit du blé battait en retraite à mesure que l'on moissonnait les champs et qu'il se réfugiait dans la dernière gerbe, où il passait tout l'hiver à dormir. Pour l'amadouer, on confectionnait avec la dernière gerbe une poupée de paille tressée que l'on mettait à la place d'honneur

CI-DESSUS – Les choux ornementaux revêtent avant l'hiver de somptueuses teintes violettes et bleu-vert.

dans la taverne locale. Au printemps, la gerbe, rapportée au champ au moment des semailles, devait réveiller l'esprit du blé et faire germer la nouvelle récolte.

À la fin de l'été, une fois la récolte rentrée, la fête commençait. Le fermier offrait à ses aides à boire et à manger, ainsi que de nombreux divertissements. Aujourd'hui, durant l'été, les communautés rurales fêtent encore

*CI-DESSUS — Cueillez les pommes avant que
les vents d'automne ne les arrachent des arbres.*

*CI-CONTRE — Les prunes tardives que l'on vient
tout juste de cueillir ont une peau légèrement veloutée.*

la moisson par des foires villageoises et des
concours de fruits et de légumes.

C'est le moment ou jamais de confectionner
des poupées de paille et des gerbes de blé décoratives, ainsi que des compositions à base de
fleurs, de feuilles et de légumes frais qui symbolisent l'abondance des saisons généreuses.

POUPÉE DE PAILLE TRADITIONNELLE

Malgré les apparences, les poupées de paille ne sont pas difficiles à faire, une fois que l'on sait confectionner des tresses à cinq brins. Vous pouvez utiliser différentes sortes de paille, mais le mieux est de choisir des blés à longues tiges. Sélectionnez ceux qui présentent la plus longue section entre l'épi et le premier nœud, là où la feuille se sépare de la tige.

FOURNITURES
gerbe de blés à longues tiges
sécateur ou ciseaux
petite longueur de raphia
2 feuilles de chêne séchées

1 Pour préparer les brins de paille, retirez les feuilles, coupez chaque brin juste au-dessous du premier nœud et laissez tremper dans l'eau pendant quinze minutes. Une fois ce délai écoulé, sortez-les de l'eau et placez-les à la verticale pour les laisser s'égoutter. Nouez cinq brins juste au-dessous des épis à l'aide de raphia. Tournez les épis vers le bas et écartez-les comme les rayons d'une roue. En travaillant dans le sens inverse des aiguilles d'une montre, faites passer le premier brin par-dessus les deux brins suivants, de façon à combler l'espace entre les troisième et quatrième brins. Revenez au troisième brin et faites-le passer par-dessus les deux brins suivants.

CI-CONTRE – Cette poupée de paille traditionnelle, faite de cinq brins de paille tressés, n'est pas difficile à confectionner une fois que l'on maîtrise la technique de base ; vous pouvez réaliser d'innombrables variations à partir de ce thème.

2 Revenez au brin précédent et faites-le passer par-dessus les deux brins suivants. En poursuivant ainsi, vous obtiendriez une tresse classique de cinq brins. Mais pour confectionner cette poupée, il vous faut commencer à élargir la tresse.

3 Repliez avec précaution le premier brin par-dessus le deuxième, à l'extérieur du troisième brin. Ainsi le premier brin est tourné vers l'extérieur de la tresse, ce qui permet de commencer à l'élargir.

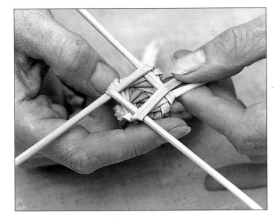

4 Repliez maintenant le premier brin juste à l'intérieur du troisième, en l'aboutant au bord du nœud de celui-ci. Continuez à faire des cercles de cette manière, et votre poupée s'élargira peu à peu.

5 Chaque fois que vous parvenez à l'extrémité d'un brin, coupez-le près d'un coin. Insérez un nouveau brin à l'intérieur du creux du précédent et continuez à tresser. Pour rétrécir la forme, ramenez successivement chaque pli de coin à l'intérieur du précédent. Lorsque vous arrivez à la pointe, terminez par une longue tresse droite, faites une boucle et attachez. Décorez de feuilles de chêne.

GERBE TRADITIONNELLE

 Les plus belles gerbes sont les plus simples. Choisissez des blés ou des orges à longues tiges et attachez-les en leur milieu avec de la ficelle. La gerbe de blé est le symbole des moissons, ce qui lui confère un charme universel. Si vous voulez faire une gerbe plus sophistiquée, variez la texture en ajoutant des feuilles d'automne, des fruits à écale et des fleurs.

CI-CONTRE — *Cette gerbe d'avoine décorée avec des feuilles de chêne et un épi de maïs, et simplement attachée à un poteau, semble souhaiter la bienvenue aux visiteurs.*

CI-DESSOUS — *Pour confectionner cette gerbe, attachez les branches de chêne et l'avoine à l'aide de raphia, puis ajoutez le maïs. Enroulez la ficelle de zostère autour des tiges.*

CI-DESSUS — *Avec ses épis velus et ses longues tiges droites, l'orge donne des gerbes magnifiques. Vrillez légèrement les tiges, de façon que la gerbe soit évasée en haut et en bas — l'effet sera saisissant et le bouquet plus stable. Cette gerbe, d'abord attachée avec du raphia, est ensuite décorée avec une tresse de zostère qui ajoute une touche d'élégance à l'ensemble.*

CI-CONTRE — *Pour obtenir la tresse en zostère, attachez les extrémités de cinq torons ensemble et posez-les en travers de votre main. Prenez le toron de droite, puis passez-le par-dessus et par-dessous les autres torons. Prenez le toron qui se trouve maintenant le plus à droite et recommencez, et ainsi de suite, en tendant la tresse le plus possible. Pour finir, nouez les extrémités ensemble.*

GUIRLANDE DE HOUBLON

 Le houblon, avec ses longues tiges volubiles grimpantes ornées de délicates fleurs vertes qui ont l'air de danser, a un aspect superbement sauvage. Pouvant mesurer jusqu'à sept mètres, ses tiges forment une base idéale pour faire une guirlande que l'on peut disposer autour d'une porte, ou le long d'un manteau de cheminée en prévision d'une fête, ou encore au-dessus d'un porche d'église à l'occasion d'un mariage. Cueillez-les quand elles sont encore fraîches et souples. Vous pouvez également acheter du houblon séché, que vous rafraîchirez en vaporisant de l'eau dessus avant de l'utiliser.

FOURNITURES
crochets ou clous

marteau

tenailles

bobine de fil de fer de fleuriste

houblon

12 (ou plus) poires conférence

cire à dorer d'encadreur

fils de fer de fleuriste de gros calibre

CI-CONTRE – Avec leurs belles courbes et leur peau brillante, ces poires mettent en valeur les fleurs délicates du houblon.

1 Disposez les crochets ou les clous de chaque côté de la cheminée. Attachez toute la tige de houblon au manteau à l'aide de fil de fer de fleuriste.

2 En vous servant de vos doigts, frottez chaque poire avec de la cire à dorer d'encadreur, tout en laissant transparaître la peau des fruits.

3 Enfoncez un fil de fer de fleuriste de gros calibre à travers la base de chaque fruit et enroulez les extrémités ensemble. Attachez les poires par les fils de fer tout autour de la tige de houblon.

BOUGEOIR EN CHOU

 Une grande variété de choux ornementaux est disponible en automne.
Leurs feuilles offrent de belles
harmonies de couleurs. Ici, des
feuilles bleu-vert rehaussées de violet forment
un bougeoir simple, mais d'un effet saisissant.

FOURNITURES
couteau de cuisine
bloc de mousse synthétique
grosse bougie
assiette
chou ornemental

1 Coupez un carré de mousse synthétique assez
grand pour pouvoir accueillir la base de la bougie, en laissant une marge d'environ I cm autour.
Faites bien tremper la mousse dans de l'eau,
laissez-la s'égoutter, puis placez-la au centre de
l'assiette, avant d'y planter la bougie.

*CI-CONTRE — Les nervures violettes font ressortir
la teinte bleu-vert de ces feuilles de chou.*

2 Coupez la partie supérieure du bloc de mousse
comme ci-dessus. Détachez les feuilles du chou
et, en commençant par le bas, enfoncez-les dans
la mousse, face vers le haut.

3 Placez à l'envers les feuilles de la dernière couche,
afin qu'elles s'écartent de la bougie.

SONATE D'AUTOMNE

 Les verts et les violets du début de l'automne permettent de réaliser des agencements d'une beauté saisissante et, à cette époque de l'année, on trouve une très grande variété de fleurs, de fruits et de feuillages. Cette composition fait intervenir les trois à la fois, grâce à des petits pots en terre cuite qui permettent de structurer l'ensemble.

FOURNITURES

2 blocs de mousse synthétique

couteau de cuisine

grand récipient

4 petits pots en terre cuite

sécateur

brassée de feuilles de chêne

mûres et myrtilles

3 choux ornementaux

3 artichauts

3 artichauts en fleur

CI-CONTRE — Ces choux, ces myrtilles et ces artichauts font une composition d'automne colorée.

1 Imbibez d'eau la mousse synthétique, coupez-la aux dimensions du récipient et placez-la dedans. Enfoncez les pots dans la mousse. Piquez les tiges des feuilles de chêne tout autour.

2 Remplissez les pots en terre cuite de mûres et de myrtilles. Disposez les choux ornementaux entre les pots de fruits.

3 Complétez votre composition avec les artichauts.

COUPE DE FRUITS AUX HORTENSIAS

À l'approche de l'automne, les couleurs des hortensias pâlissent de plus en plus. Les variétés vertes gardent leur teinte, même une fois complètement séchées, tandis que les autres variétés prennent des tons vieux rose. Certaines couleurs font un effet magnifique, mélangées avec des fruits d'automne comme les prunes et les figues, ainsi que le montre cette superbe coupe de fruits.

FOURNITURES

anneau en mousse synthétique de 40 cm de diamètre

plat creux vert

10 têtes d'hortensia avec feuilles

sécateur

1 Faites tremper l'anneau en mousse synthétique. Posez le plat au milieu. Coupez les tiges d'hortensia à 2,5 cm des têtes.

2 Recouvrez la base en mousse d'hortensias disposés en anneau, puis ajoutez quelques feuilles pour donner du relief à l'ensemble.

CI-CONTRE — Le vert et le violet s'harmonisent bien.

COURONNE DE CYNORHODONS

Au début de l'automne, les fruits du rosier et de l'églantier, appelés cynorhodons ou, plus familière-ment, gratte-cul, parviennent à maturité. Les rosiers grimpants produisent de longues tiges rampantes que l'on peut aisément enrouler en couronne. Prenez garde aux épines.

FOURNITURES
bobine de fil de fer de fleuriste
tiges de rosier grimpant avec cynorhodons
sécateur

1 À l'aide du fil de fer, réunissez les extrémités de deux longues tiges de rosier grimpant.

2 Réunissez les deux autres extrémités pour for-mer un cercle. Prenez trois tiges, si vous préférez.

3 Pour faire une couronne plus fournie, enroulez d'autres tiges autour de la base.

CI-CONTRE — Il ne faut pas couper les variétés de roses et d'églantines qui produisent des fruits brillants si l'on veut les laisser se former.

FRUITS DÉCORATIFS

 Les fruits parvenus à maturité symbolisent l'automne. Utilisez-les pour décorer votre table ou vos plats. Leur abondance en cette saison en fait un matériau bon marché, et même si vous commettez une erreur, le fruit ne sera pas perdu : mangez-le tel quel en dessert, ou bien faites-en du jus, des compotes ou des tartes.

CI-CONTRE — Disposés dans une coupe, les citrons gravés font une très jolie garniture. Pour les sculpter, utilisez un couteau à canneler. Vous pouvez faire des motifs en spirale, comme ceux-ci, ou des motifs géométriques.

CI-DESSOUS — Amusez-vous à faire des poires rayées à l'aide d'un épluche-légumes. Badigeonnez de jus de citron les parties dénudées afin d'empêcher la chair de brunir.

PAGE CI-CONTRE — Symboles de l'amour, ces pommes sur lesquelles on a imprimé un dessin de lèvres font une garniture originale. Ne les choisissez pas trop brillantes, mais d'une couleur agréable telle que brun-roux et vert afin que le motif se détache bien du fond. Appliquez-vous une généreuse couche de rouge à lèvres orangé et embrassez les pommes pour imprimer la marque de votre bouche. Mettez-les dans des paniers individuels disposés en groupes.

COUSSIN DE CALICOT AUX IMPRESSIONS DE FRUITS

Très faciles à réaliser, les motifs de fruits aux couleurs d'automne, imprimés sur un simple morceau de calicot, font une décoration moderne pleine de gaieté. Dans ce projet, on a disposé de façon aléatoire les motifs de poire et de pomme sur chaque côté du coussin.

FOURNITURES

2 carrés de calicot de 50 cm,

plus un morceau de réserve

peinture pour tissu vert pomme, jaune et bronze

pomme coupée en deux dans le sens de la longueur

à travers la tige et le cœur

poire coupée en deux dans le sens de la longueur

à travers la tige et le cœur

chiffon humide

crayon-feutre marron foncé ou noir

machine à coudre

fil à coudre de couleur assortie

ciseaux

fer à repasser

coussin rembourré carré de 30 cm de côté

craie de tailleur

CI-CONTRE — Ce motif imprimé de façon assez libre évoque les années cinquante.

1 Enduisez de peinture verte ou jaune la partie coupée de la pomme et tamponnez sur le calicot de réserve. Laissez sécher.

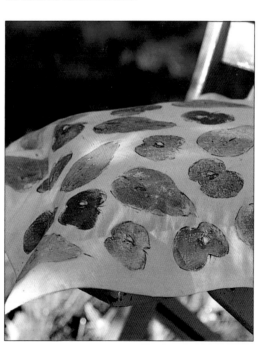

2 Essuyez le fruit à l'aide du chiffon humide, appliquez la peinture bronze et tamponnez sur le tissu par-dessus le premier motif. Laissez sécher.

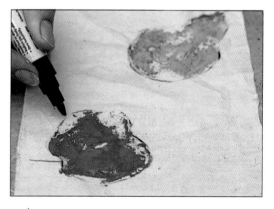

3 À l'aide du crayon-feutre, soulignez le contour de chaque motif de fruit, ainsi que celui du cœur. N'appuyez pas trop et soulevez légèrement le crayon par endroits pour éviter que la ligne ne soit trop foncée ou trop dure. Recommencez jusqu'à ce que cet essai vous convienne.

4 Imprimez le même motif sur les carrés de calicot. Laissez sécher. Cousez sur trois côtés, endroit contre endroit. Coupez les coins, repassez les coutures de façon à les ouvrir et retournez sur l'endroit. Glissez le coussin à l'intérieur en vous assurant qu'il est bien centré et marquez la position des bords avec la craie de tailleur.

Ressortez le coussin et surpiquez à travers toutes les couches de tissu sur trois côtés, comme précédemment. Remettez le coussin à l'intérieur. Retournez et cousez les bords coupés de l'extrémité ouverte au point de devant, pour fermer. Surpiquez tout autour près du bord extérieur. Surpiquez la quatrième couture intérieure. Surpiquez une deuxième fois tout autour, juste au-dehors de la ligne intérieure.

CI-CONTRE – Ces simples rangées de pommes et de poires font un motif sobre très moderne.

ARBRE AUX CYNORHODONS

Faites provision de différents fruits de rosier et d'églantier pour confectionner ce ravissant arbuste qui servira à décorer la maison, le jardin ou le patio. Vous aurez besoin de gants de jardinier épais, car de nombreux rosiers et églantiers ont des épines très pointues. Planté dans de la mousse synthétique humide, votre arbuste devrait durer une semaine.

FOURNITURES
couteau de cuisine
2 blocs de mousse synthétique
pot en terre cuite
brassée de tiges de saule-osier
sécateur
gants de jardinier
cynorhodons
mousse fraîche

1 Découpez la mousse synthétique aux dimensions du pot. Coupez les tiges de saule-osier à une longueur de 45 cm. Regroupez-les par le bas et enfoncez-les au centre de la mousse.

CI-CONTRE — Les cynorhodons de la variété 'Hansa', qui sont très renflés et très rouges, font un matériau idéal pour n'importe quel type de composition d'automne.

2 Découpez l'autre bloc de mousse synthétique en forme de boule et faites-le tremper. Enfoncez-le sur le haut des tiges de saule. (Vous pouvez aussi utiliser une boule de mousse dèjà prête.)

CONSEIL
Ce bel arbuste ornemental mettra une note de gaieté dans votre vestibule ou sur le seuil de votre porte.

3 Enfilez les gants, coupez les tiges de cynorhodon et garnissez-en complètement la boule de mousse.

4 Habillez le dessus du pot avec la mousse fraîche.

JARRES AUX COULEURS DE L'AUTOMNE

 L'automne offre un spectacle splendide, annonçant avec douceur les rigueurs futures de l'hiver. Les jaunes, les ors et les roux des feuillages rivalisent de beauté avec les rouges et les orange des baies et des fruits. Les assemblages automnaux ne doivent pas être trop recherchés. Ici, disposez simplement vos trouvailles dans des pots en terre ou en céramique.

CI-DESSOUS — Les branches de pommier sauvage s'harmonisent avec les feuillages roux du hêtre.

CI-DESSUS — Les baies d'automne se marient bien ensemble. Ici, des baies de boules-de-neige (Viburnum opulus) translucides sont mises en valeur par des branches de sorbier.

PAGE CI-CONTRE — Ces jolis amours-en-cage (physalis) orange mélangés avec des feuillages de plusieurs verts différents font une ravissante composition d'automne.

CI-CONTRE — En automne, les hortensias prennent des tons sépia. Dans cet arrangement plein de charme, plusieurs variétés ont été mélangées avec des baies rouges.

ANNEAU DE BOUGIE AVEC POMMES SAUVAGES

 Les pommes sauvages ont un charme particulier, et les variétés cultivées produisent des fruits colorés qui font un matériau idéal pour des compositions forestières comme cet anneau de bougies. Utilisez une base en mousse synthétique humide pour que votre décoration dure plus longtemps, puis laissez sécher le tout.

FOURNITURES

anneau en mousse synthétique de 25 cm de diamètre
4 bougies effilées ocre jaune
sécateur
2 branches de pommier sauvage
3 branches de chêne des marais (Quercus palustris)

1 Imbibez d'eau l'anneau en mousse synthétique. Disposez les bougies autour. Avec le sécateur, séparez les brindilles de pommier sauvage des branches principales. Piquez les feuilles de chêne sur l'anneau.

2 Recouvrez ainsi entièrement l'anneau, en ajoutant des feuilles de chêne plus petites à l'intérieur.

3 Disposez les grappes de pommes sauvages.

CI-CONTRE — Les ors et les bruns roux des pommes sauvages et des feuilles de chêne sont mis en valeur par l'ocre jaune des quatre bougies.

LES ORS DE FIN D'AUTOMNE

Les feuilles tombent, tombent

Et semblent venir de loin,

Aux cieux dirait-on

Se défeuillent des jardins lointains.

RAINER MARIA RILKE (1875-1926)

CI-DESSUS — *Ornez une couronne de monnaies-du-pape avec un simple nœud de satin.*

CI-CONTRE — *Les bois sont magnifiques sous le soleil d'automne*
— c'est le moment de partir à la chasse aux trésors.

 Les feuilles mortes symbolisent l'automne. Elles prennent les couleurs les plus éclatantes, incendiant les bois de leurs orange vibrants et leurs jaunes se marient aux derniers verts de l'été.

Rien n'est plus beau qu'une claire journée d'automne. Le soleil bas inonde la terre d'une lumière dorée, projetant des ombres qui s'allongent à mesure que progresse la saison.

Il est temps de terminer les récoltes et de les faire sécher. Grâce à la croissance ralentie des végétaux et à la chaleur de fin d'été, le travail de dessiccation a déjà commencé. Pressez les

CI-CONTRE — En automne, le jaune éclatant des feuilles incendie les bois.

CI-DESSOUS — Le soleil bas de l'automne fait ressortir les couleurs somptueuses dont se parent les arbres et les buissons à l'approche de la saison froide.

CI-DESSUS — *Vous pouvez amasser des quantités de feuilles mortes et de glands pendant les dernières semaines d'automne.*

plus belles feuilles, que vous encadrerez ou conserverez entre les pages d'un album de photographies; vous pourrez également les utiliser en découpage. Si vous souhaitez leur conserver leur forme naturelle, pour donner du relief à vos compositions florales ou à vos décorations ponctuelles, laissez-les sécher à l'air afin qu'elles se recroquevillent un peu.

Alors que les arbres et arbustes se dépouillent de leurs feuilles, les ramures apparaissent. Les branches rouge foncé du cornouiller sanguin *(Cornus sanguinea)*, toutes droites, sont particulièrement impressionnantes. Rapportez-en quelques-unes pour fabriquer des petites mangeoires à oiseaux, des plateaux ou des boîtes.

L'automne est aussi la saison des citrouilles, des gourdes et des courges, qui offrent une vaste gamme de couleurs, du rouge vif au bleu-vert clair. Vous pouvez les empiler dans un panier, ou les sculpter pour la fête de Halloween.

Prenez le temps de confectionner couronnes, guirlandes et arbustes ornementaux à partir des fleurs, herbes et feuillages amassés lors de vos promenades, puis séchés ou naturalisés.

DÉCORATIONS À BASE DE FEUILLES

Les couleurs somptueuses des feuilles d'automne en font un matériau de décoration rêvé. Déjà desséchées lorsqu'elles tombent, elles conservent ainsi leur beauté beaucoup plus longtemps. Vous pouvez les utiliser pour orner une table ou une fenêtre, à l'occasion d'une fête ou d'un dîner. Encore souples et résistantes, elles font des décorations durables – à condition de les manipuler avec précaution.

CI-DESSUS — Éparpillez des feuilles mortes sur votre table et posez un simple voile de tulle dessus pour faire une nappe automnale des plus originales.

CI-CONTRE — Vous pouvez décorer des verres de couleur ambrée en attachant de grandes feuilles de chêne autour avec des morceaux de raphia vert.

PAGE CI-CONTRE — Confectionnez un rideau naturel à l'aide de petits bouquets de feuilles d'automne que vous accrochez à votre fenêtre à l'aide de cordon fin ou de fil de nylon transparent. Vous pouvez également coller les feuilles directement sur les vitres pour donner l'impression qu'elles sont en train de tomber : mettez un point de colle sur la nervure ou sur la queue.

COMPOSITION FORESTIÈRE

Feuilles de chêne et glands ont un charme particulier, sans doute parce qu'ils nous rappellent les contes de fées de notre enfance. En automne, les bois en sont jonchés, aussi n'aurez-vous aucun mal à réunir tout le nécessaire pour réaliser cette composition forestière.

FOURNITURES

boule de mousse synthétique de 10 cm de diamètre

pot en terre cuite de 10 cm de diamètre

feuilles de chêne

tenailles

glands

fils de fer de gros calibre

I Mettez la boule de mousse synthétique dans le pot. Coupez les tiges des feuilles de chêne à 1 cm du limbe.

2 Piquez un cercle de feuilles autour du pot.

CI-CONTRE — Ces cupules de glands épineuses remplacent les variétés écailleuses, plus communes.

3 Coupez chaque morceau de fil de fer en trois longueurs égales et enfoncez-en une dans la base de chaque gland. Repliez les extrémités.

4 Fixez les glands montés sur fil de fer dans la boule de mousse synthétique. Continuez à ajouter des feuilles et des glands jusqu'à ce que la mousse soit complètement garnie.

MANGEOIRE EN BRANCHES DE SAULE-OSIER

Cette adorable mangeoire en osier est idéale pour les petits oiseaux. Elle est facile à confectionner, et les liens de raphia devraient tenir tout l'hiver ; vous pouvez les changer et réutiliser la mangeoire l'année suivante.

FOURNITURES

sécateur

32 baguettes de saule-osier de 23 cm de long

raphia

32 baguettes de saule-osier de 75 cm de long

1 Pour le fond de la mangeoire, pliez un morceau de raphia en deux et placez l'extrémité d'une baguette de 23 cm au creux du pli. Tressez les extrémités de raphia et placez une autre baguette à côté. Continuez ainsi jusqu'à utiliser vingt-quatre baguettes. Nouez les extrémités de raphia. Faites de même avec les autres extrémités des baguettes.

2 Placez une autre baguette en travers du fond, au-dessus du raphia. Pliez en deux un autre morceau de raphia et placez le pli sur la baguette, en glissant les deux extrémités entre les baguettes du fond, de chaque côté de la rangée de raphia tissé.

3 Retournez l'ensemble et faites un nœud comme sur la photographie ci-dessus. Glissez une extrémité de raphia entre les deux baguettes suivantes, par-dessus la baguette libre, et revenez sur l'envers du fond. Nouez. Continuez ainsi jusqu'à ce que toute la baguette de renfort soit attachée au fond. Répétez l'opération de l'autre côté. Pour confectionner les « parois » de la mangeoire, placez une baguette en travers des extrémités des baguettes déjà reliées par le tissage en raphia, et nouez aux coins avec un autre morceau de raphia. Répétez l'opération de l'autre côté. Recommencez avec une autre paire de baguettes, en les plaçant parallèlement aux baguettes liées par le tissage en raphia. Répétez l'opération de l'autre côté.

CI-CONTRE — Cette mangeoire entièrement faite de matériaux naturels fera un gracieux ornement pour votre jardin.

4 Répartissez les baguettes de 75 cm en quatre faisceaux. Attachez-les fermement en bas avec du raphia. Placez un faisceau à un coin de la mangeoire, là où les baguettes des «parois» dépassent. Attachez solidement le faisceau aux baguettes. Répétez l'opération aux trois autres coins.

5 En haut, réunissez les quatre faisceaux et attachez avec du raphia au point où ils se croisent. Confectionnez un crochet en glissant des morceaux de raphia entre les baguettes, au niveau du lien en raphia. Remontez les extrémités et nouez au-dessus du lien, puis nouez les extrémités ensemble.

ABAT-JOUR AVEC FEUILLES TRANSLUCIDES

Les feuilles « squelettisées » ont une translucidité qui en fait un matériau de décoration délicat. « Squelettisez » les feuilles vous-mêmes, ou achetez-les « pré-squelettisées ». Ici, elles ont été dorées à la cire d'encadreur, afin de mieux ressortir sur l'abat-jour vert clair.

FOURNITURES
éponge de décorateur
peinture vert clair
abat-jour en tissu de couleur unie
cire à dorer d'encadreur
8 feuilles « squelettisées »
(ou plus, suivant la taille de l'abat-jour)
colle

2 Avec les doigts, frottez les feuilles à la cire à dorer d'encadreur, puis disposez-les sur l'abat-jour selon un motif qui vous plaise.

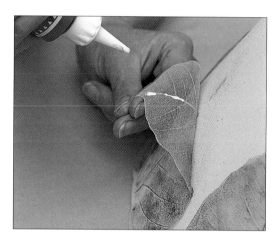

3 Mettez un peu de colle au dos d'une feuille et collez-la sur l'abat-jour. Maintenez en place quelques secondes, jusqu'à ce que la colle sèche.

1 Humidifiez l'éponge. Trempez-la dans la peinture, puis appliquez sur l'abat-jour.

4 Répétez l'opération avec les autres feuilles, jusqu'à ce que l'abat-jour soit terminé.

PAGE CI-CONTRE — La forme des feuilles ressort bien.

COURONNE D'HERBES SÉCHÉES

Cette modeste couronne d'herbes séchées a quelque chose d'ensorcelant — peut-être parce qu'elle symbolise la nourriture et la vie. Pendant les longues soirées d'automne, on a tout loisir de confectionner des décorations à partir des matériaux amassés pendant l'été.

FOURNITURES
1 m de fil de fer de jardin
ruban adhésif de fleuriste
30 longues herbes au moins
herbes plus petites
sécateur ou ciseaux
raphia

CI-DESSUS — Choisissez les herbes les plus luxuriantes que vous pourrez trouver et ne coupez pas les feuilles, qui donnent de la texture à la composition.

1 Faites un crochet à chaque extrémité du fil de fer, courbez-le en anneau et fermez-le par les crochets. Enveloppez l'anneau de ruban adhésif de fleuriste.

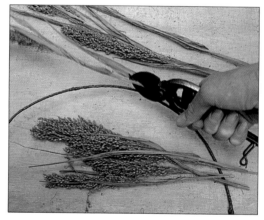

3 À l'aide d'un sécateur, coupez les tiges des herbes juste au-dessous de la première feuille en partant du haut.

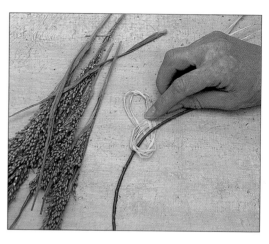

2 Pliez un morceau de raphia en deux, glissez les deux extrémités autour du fil de fer et ramenez-les à travers la boucle pour fixer le raphia à l'anneau.

4 Prenez deux brins d'herbe et attachez-les solidement avec du raphia, juste au-dessous des graines, à l'extérieur de l'anneau.

5 Ajoutez deux brins d'herbe à l'intérieur de l'anneau à 7,5 cm environ de la première ligature et attachez. Répétez l'opération jusqu'à ce que l'anneau soit complètement garni. Nouez les extrémités du raphia.

CONSEIL

Même si les herbes sont très décoratives, n'oubliez pas que leur couleur verte ne durera pas longtemps et qu'elles vont jaunir rapidement. Achetez vos herbes chez un bon marchand de fleurs séchées.

BOÎTES À IMPRESSIONS DE FEUILLES

Les feuilles d'automne font de ravissants gabarits qui vous permettront de décorer toutes sortes d'objets. Choisissez des formes intéressantes, comme celle de ces feuilles de chêne lobées, pour un joli résultat.

FOURNITURES
boîte en carton de couleur unie
peinture acrylique mate bleu-gris et crème
pinceaux
feuille de chêne des marais (Quercus palustris)
feuille de chêne commun (Quercus robur)
pochon
papier journal
vernis acrylique

CI-DESSOUS — Cette harmonie de couleurs bleu-gris et crème change un peu des teintes automnales classiques.

1 Passez l'intérieur et l'extérieur de la boîte à la peinture acrylique mate et laissez sécher. À l'aide des feuilles, essayez de définir la disposition de vos motifs.

2 Trempez la pointe du pochon dans la peinture crème et tamponnez l'excédent sur du papier. Appliquez une grande feuille sur le fond extérieur de la boîte et tapotez la peinture tout autour. Répétez l'opération sur le pourtour de la boîte.

3 Reproduisez le motif de feuille au centre du couvercle. Avec la petite feuille de chêne, réalisez de même une bordure tout autour de celui-ci. Tamponnez un peu de peinture crème sur les grandes zones de gris qui séparent les motifs de feuilles, en laissant transparaître la couleur de base pour créer un effet de texture. Laissez sécher.

4 Recouvrez toutes les surfaces intérieures et extérieures d'une fine couche de vernis. Laissez sécher.

RIDEAU AUX FEUILLES MORTES

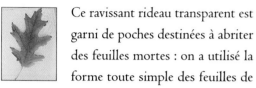

Ce ravissant rideau transparent est garni de poches destinées à abriter des feuilles mortes : on a utilisé la forme toute simple des feuilles de hêtre pour compléter celle, plus élaborée, des feuilles de chêne. Ce rideau est simple à réaliser.

FOURNITURES

ciseaux

tissu d'organdi aux dimensions de la fenêtre, plus les trois-quarts de cette quantité pour faire des poches

machine à coudre

fil à coudre de couleur assortie

choix de feuilles d'automne

épingles de couturière

attaches de rideaux

1 Coupez l'organdi aux dimensions de la fenêtre en laissant une marge de 2,5 cm autour. Faites un ourlet double sur tout le pourtour. Disposez les feuilles d'automne sur le rideau. Dans le reste d'organdi, découpez des rectangles pouvant contenir les feuilles. Ourlez tous les rectangles.

CONSEIL

Les feuilles d'automne de ce projet auront séché naturellement et se conserveront parfaitement. Même si elles sont friables, elles ne s'abîmeront pas, une fois protégées par les poches d'organdi. Évitez de bouger le rideau.

CI-CONTRE — Les feuilles de chêne lobées ont une jolie silhouette.

2 Épinglez les rectangles par-dessus les feuilles, et cousez trois côtés. Les feuilles risquent de glisser hors des poches au cours de l'opération.

3 Remettez chaque feuille dans sa poche. Accrochez le rideau à l'aide d'attaches spéciales.

*CI-DESSUS — Les poches auront été coupées
aux dimensions des feuilles qu'elles abritent.
Il suffit de glisser celles-ci à l'intérieur.*

CADRE DE MIROIR ARGENTÉ

Les médaillons argentés des monnaies-du-pape (lunaire) font un effet superbe, disposés en couronne autour d'un miroir. Le résultat est lumineux, léger et naturel. La monnaie-du-pape pousse en abondance dans les haies et les jardins, sous les climats tempérés. Les fleurs pourpres de l'été cèdent la place à des siliques grises, sans grand intérêt. Cependant, lorsqu'on retire l'enveloppe du fruit, il reste une membrane médiane argentée gracieuse et élégante. La monnaie-du-pape est plus résistante qu'elle n'en a l'air, mais il vaut néanmoins mieux la placer dans un endroit où elle sera à l'abri des chocs et des frottements.

FOURNITURES
fil de fer de jardin
pince coupante
miroir rond percé sur les bords avec attaches
tenailles
ruban adhésif de fleuriste
monnaies-du-pape en quantité
50 cm d'organdi ivoire

1 Coupez du fil de fer pour constituer un cercle d'un diamètre inférieur de 5 cm à celui du miroir. Faites un crochet à chaque extrémité, attachez-les, puis enveloppez le cercle de ruban adhésif.

2 Retirez les enveloppes des siliques et coupez les tiges de monnaie-du-pape en segments de 18 cm environ. Attachez un segment à l'anneau de fil de fer avec du ruban adhésif de fleuriste.

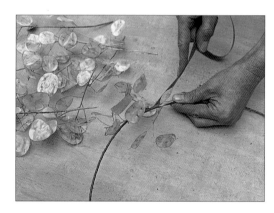

3 Placez le segment suivant un peu plus bas que le premier, en superposant les deux tiges. Vous obtiendrez ainsi une masse plus dense. Continuez d'ajouter des segments de monnaie-du-pape, jusqu'à ce que le cercle soit complètement garni.

4 Coupez une bande d'organdi de 5 cm de large et enroulez autour du cercle, entre les monnaies-du-pape. Coupez trois fils de fer de 15 cm. Courbez les extrémités vers l'intérieur et entourez d'organdi.

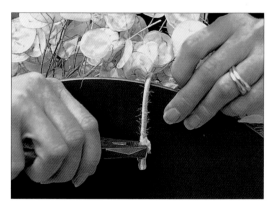

5 Attachez un fil de fer recourbé à la base de la couronne, et repliez-le par-dessus le bord supérieur du miroir. Répétez l'opération avec les deux autres fils de fer, en les plaçant près du bord inférieur du miroir. Accrochez celui-ci et faites un joli nœud avec le reste de l'organdi pour décorer.

CORBEILLE À PAPIER DÉCORÉE

Avec des feuilles, vous pouvez décorer des boîtes, des corbeilles à papier ou même des meubles. Pressez-les avant de les coller pour les rendre parfaitement plates, puis recouvrez-les de plusieurs couches de vernis très fines, afin qu'elles aient l'air de faire partie intégrante du support.

FOURNITURES
peinture acrylique verte et jaune
corbeille à papier en bois ou en aggloméré
pinceaux
vernis à craqueler
colle PVA
grandes feuilles pressées
poids ou gros livres
vernis acrylique

1 Passez l'intérieur et l'extérieur de la corbeille à la peinture vert clair et laissez sécher.

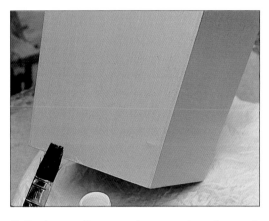

2 Enduisez d'une ou deux couches de vernis à craqueler l'extérieur de la corbeille, en vous conformant aux instructions du fabricant. (Le mode d'emploi est différent selon les sortes de vernis à craqueler). Laissez sécher.

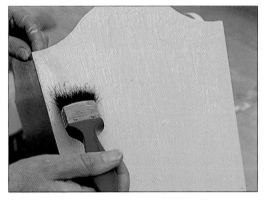

3 Passez une deuxième couche de vernis à craqueler sur la corbeille. Les craquelures devraient apparaître au séchage. Leur taille et leur dessin dépendent de la consistance de la couche de peinture.

4 Enduisez le dos d'une feuille de colle PVA, sans oublier les bords. Placez la feuille en position, puis posez des poids ou des livres par-dessus et laissez ainsi toute une nuit. Retirez les poids et laissez la colle sécher complètement.

5 Recouvrez toutes les surfaces d'une fine couche de vernis acrylique. Laissez bien sécher. Ajoutez autant de couches de vernis que nécessaire, jusqu'à ce que la feuille semble intégrée au support.

CITROUILLE SCULPTÉE

 Ce délicat motif en volutes est plus facile à réaliser qu'il ne semble et constitue une alternative aux traditionnelles lanternes de Halloween, ornées d'un visage. Sculptez plusieurs citrouilles et animez l'intérieur d'une veilleuse.

FOURNITURES
stylo

citrouille

scie à potiron

couteau de cuisine

attache

portionneur à glace ou cuillère

instruments de linogravure

veilleuse

CI-DESSUS – Le couvercle est décoré d'un motif sculpté très simple.

1 Tracez une ligne ondulée tout autour de la citrouille pour marquer le bord du couvercle, puis découpez à l'aide de la scie à potiron. Évidez le centre du couvercle pour laisser passer l'air, quand la veilleuse sera allumée à l'intérieur.

2 Videz complètement l'intérieur à l'aide d'une cuillère à soupe, jusqu'à laisser une mince « coque ».

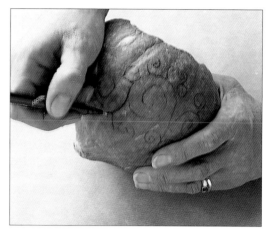

3 Dessinez des motifs en volutes sur l'écorce de la citrouille en ajoutant des fioritures.

4 À l'aide des différents instruments de linogravure, gravez les motifs. Placez la veilleuse à l'intérieur, pour voir si les gravures sont suffisamment profondes et permettent d'éclairer les motifs. Sinon, creusez encore l'intérieur de la citrouille.

MOTIFS GRAVÉS SIMPLES

 Les potirons et les gourdes offrent des possibilités de décoration illimitées. Les motifs gravés abstraits sont souvent plus faciles à réaliser pour les débutants, car il suffit, en cas d'erreur, d'ajouter quelques fioritures pour combler les espaces vides. Les motifs géométriques sont un peu plus compliqués : ils demandent un calcul préalable pour les répartir régulièrement.

Il suffit de diviser la citrouille en quarts ou en huitièmes à la verticale, en marquant les divisions à l'aide d'un stylo, avant de définir un motif qui puisse être reproduit dans chaque section. Les motifs géométriques peuvent aussi partir de cercles concentriques tracés à intervalles réguliers tout autour du potiron.

Les motifs figuratifs font également de l'effet. Ils n'ont pas besoin d'être compliqués — les lignes simples donnent de bons résultats. Si vous n'êtes pas assez sûr de vous pour dessiner à main levée, photocopiez une image simple, puis réduisez-la ou agrandissez-la aux dimensions de la citrouille. Pour la transférer, épinglez le dessin ou la photocopie sur le fruit, puis, à l'aide d'une grande aiguille ou d'un autre instrument pointu, piquez l'écorce à travers le papier en suivant les lignes de l'image. Retirez le papier et gravez en suivant les trous.

CI-DESSUS — Les sorcières changent un peu des visages dont s'ornent habituellement les citrouilles sculptées de Halloween.

CI-CONTRE — Gravez des motifs simples sur les petites citrouilles, tels des fentes, des zigzags et des volutes. Décorez plusieurs citrouilles et disposez-les sur un rebord de fenêtre.

PAGE CI-CONTRE — Ce visage aux traits paisibles est un motif facile à graver sur une citrouille. Couchez la citrouille sur un lit de feuilles pour donner l'impression qu'elle repose sur un oreiller de verdure.

BOUGEOIRS AUX FRUITS ET LÉGUMES

Les fruits et légumes d'automne font de merveilleux bougeoirs. Beaucoup ont une chair ferme qui fournit un bon support pour les bougies et les veilleuses. La base doit être stable pour éviter que le bougeoir ne bascule quand la chandelle est allumée. Si les fruits ou les légumes choisis ne tiennent pas droits, coupez la base à l'aide d'un couteau de cuisine afin qu'elle soit bien plane. Ne laissez jamais une bougie allumée sans surveillance et ne la posez jamais à proximité de matières inflammables.

CI-DESSOUS — Les pommes font de charmants bougeoirs. Coupez la base pour les rendre stables, puis creusez l'intérieur du fruit à l'aide d'un vide-pomme. Agrandissez un peu le trou de façon à pouvoir y placer une veilleuse.

CI-DESSUS — Les « doigts » de la gourde semblent vouloir saisir cette grosse bougie. Certaines gourdes ont la chair très ferme, et vous aurez besoin d'un couteau bien pointu pour les vider. Enveloppez la bougie dans une feuille d'automne attachée avec du raphia et enfoncez-la dans son bougeoir. (N'utilisez que des grosses bougies dont la cire fond au centre en laissant l'extérieur intact.)

CI-CONTRE — Les petites gourdes rayées font de très jolis bougeoirs, posées sur des assiettes rustiques. Elles sont faciles à préparer — il suffit de creuser le centre aux dimensions de la chandelle à l'aide d'un vide-pomme.

CADRE AUX FEUILLES PRESSÉES

Les tons sépia des feuilles d'automne permettent de confectionner de très jolis cadres pour mettre des photographies en valeur. Pour avoir des photos sépia, utilisez un film noir et blanc et faites faire le développement comme s'il s'agissait d'une pellicule couleur.

FOURNITURES

photographie

carton de montage ovale

cadre à pinces

sélection de feuilles pressées

sécateur

colle

1 Placez la photographie dans le carton. Choisissez des feuilles pressées pour le décorer.

2 Placez la vitre sur la photo. Coupez les tiges des feuilles et essayez diverses dispositions.

CI-CONTRE – Pressez les feuilles une semaine auparavant.

3 Mettez de la colle au dos des feuilles, sur la nervure, et collez sur le verre en masquant le carton.

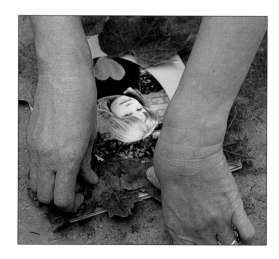

4 Appuyez sur les feuilles jusqu'à ce que la colle ait séché. Continuez de coller jusqu'à ce que le carton de montage soit complètement recouvert.

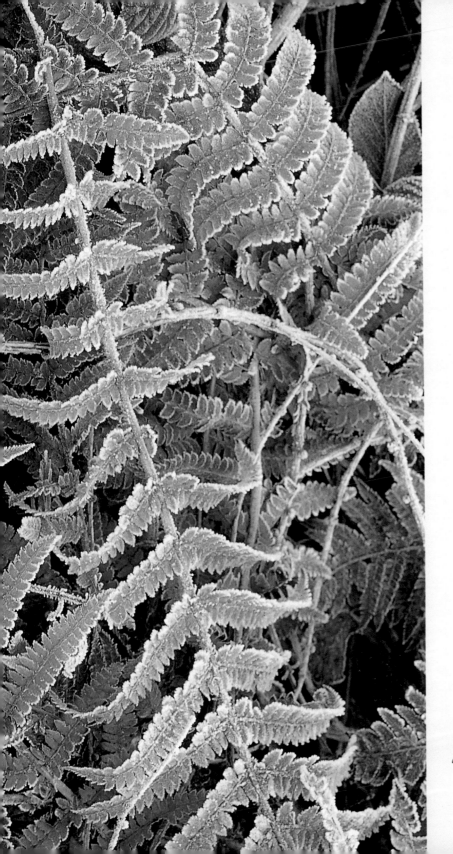

DENTELLES
DE GIVRE

Chaque feuille me parle de béatitude,
Qui descend de l'arbre d'automne
Je sourirai quand des couronnes de neige
Fleuriront à la place des roses.

EMILY BRONTË (1818-1848)

CI-DESSUS — Des feuilles de houx diaprées dans toute leur splendeur hivernale.

CI-CONTRE — Le givre transforme les plus humbles plantes en joyaux en les revêtant
d'une délicate dentelle blanche qui souligne leurs contours et fait ressortir tiges et nervures.

81

Le givre, qui orne la végétation de fines broderies d'argent, signale l'hiver. Le premier matin de gel sonne le glas de l'automne, et toutes les plantes à feuilles caduques s'endorment sous leur belle couverture blanche. Désormais, les fleurs seront rares ; les fruits ne pourront pas survivre, et seules les baies les plus robustes jetteront une note de couleur sur le jardin.

C'est la saison où règnent les arbres et les plantes à feuilles persistantes. Emmitouflés dans un épais manteau d'aiguilles vert foncé, les conifères produisent des pommes de pin de taille variable. Les branches et les pommes de pin font un merveilleux matériau d'artisanat, de même que les feuilles brillantes du houx et du lierre.

CI-DESSOUS — Sous le givre, la structure des végétaux ressort.

CI-DESSUS — Sans leurs feuilles et regroupés en bouquet, les brins de houx fournissent une masse de couleur flamboyante.

Grâce à cette richesse, vous n'avez pas besoin de végétaux séchés ou naturalisés pour décorer la maison. Gardez-les pour faire des présents.

La lavande séchée, les roses et les épices permettent de jolis cadeaux parfumés ; les fleurs séchées aux couleurs plus vives, telles que l'achillée, peuvent entrer dans la confection d'une composition qui vous rappellera l'été.

À cette époque de l'année, les couleurs qui s'imposent en décoration sont le rouge et le vert. On peut également utiliser certaines variétés diaprées de houx et de lierre, qui donnent plus d'éclat aux décorations. Les variations sur le thème du rouge font intervenir des fruits comme les pommes, les canneberges et les grenades coupées, que l'on peut mélanger aux baies du houx et du buisson ardent (*Pyracantha coccinea* et *P. crenulata*), présents dans la nature pendant tous les mois d'hiver.

CI-CONTRE — Les herbes et branchages recouverts de givre forment une dentelle élaborée sur le fond noir des troncs.

CI-DESSOUS — Le gel accentue les contours des champignons sauvages qu'il semble recouvrir d'une fine poussière blanche.

ARBRE À ACHILLÉE

L'achillée (*Achillea millefolium*) se prête merveilleusement au séchage, gardant sa belle couleur vieil or. Chaque inflorescence forme un généreux coussin de couleur et la rend facile à travailler. Ici, on a utilisé des capsules de graines de nigelle (*Nigella orientalis*) pour donner de la texture à la boule d'achillée.

FOURNITURES

couteau de cuisine

bloc de mousse synthétique

récipient jaune

sécateur

faisceau de branches de saule-osier de 45 cm de long

boule de mousse synthétique de 18 cm de diamètre

raphia

3 gros bouquets d'achillée séchée

1 bouquet de Nigella orientalis

feuilles d'automne séchées

VARIANTE
Vous pouvez utiliser d'autres fleurs séchées dans ce projet : *Paeonia, Protea compacta, Rosa, Achillea ptarmica, Anaphalis margaritacea* et *Helichrysum.*

1 Coupez le bloc de mousse aux dimensions du récipient. Égalisez la longueur des branches de saule.

2 Enfoncez les branches au centre de la mousse, en les tenant serrées les unes contre les autres. Plantez la boule de mousse synthétique en haut du faisceau.

3 Enveloppez le faisceau avec deux fibres de raphia et nouez à la base.

4 Coupez les tiges d'achillée à 2,5 cm des inflorescences et enfoncez-les dans la boule de mousse synthétique jusqu'à la garnir complètement.

5 Coupez les tiges de *Nigella orientalis* à 5 cm des capsules de graines et répartissez-les sur la boule.

6 Recouvrez la mousse du récipient de feuilles d'automne séchées, pour donner de la texture à l'ensemble.

EMBALLAGES-CADEAUX NATURELS

La nature offre de nombreux matériaux pouvant s'utiliser à la confection d'emballages originaux, comme des brindilles, du lichen, des pommes de pin ou des herbes séchées, beaucoup plus résistants que les fleurs fraîches et abondantes en début d'hiver. Pour mettre ces matériaux en valeur, utilisez du papier kraft ou encore du papier recyclé, dans des tons pastel. Vous aurez également besoin de ficelle de coton, de zostère ou de fibre de raphia, pour vos attaches.

CI-DESSUS — Avec leur belle teinte rouge foncé et leur ligne sobre, les branches du cornouiller font une décoration originale et moderne pour ce paquet, emballé dans du papier kraft. Le faisceau de branchages est attaché avec une lanière de cuir de couleur naturelle, puis fixé au paquet de la même façon. Le résultat est simple et élégant.

CI-CONTRE — Chaque emballage est unique, et pourtant, comme on le voit ici, si on assemble plusieurs paquets, ils se mettent mutuellement en valeur.

CI-DESSUS — *Ce paquet emballé de papier recyclé et de ficelle de zostère a été décoré avec deux brins d'herbe séchés.*

CI-CONTRE — *Ces branches de mélèze couvertes de lichen ont une beauté singulière, les pommes de pin miniatures ressortant sur le gris argenté du végétal. S'il n'y a pas de mélèze près de chez vous, vous devriez en trouver de ce genre chez un fleuriste. Ce paquet est enveloppé dans du papier recyclé ; on a posé une feuille de papier glycériné translucide par-dessus pour faire ressortir le lichen. Le lien est une ficelle de coton ordinaire.*

CARTES NATURE

 Les cartes de vœux artisanales sont souvent chaleureuses et la nature est une source d'inspiration inépuisable. Le début de l'hiver est idéal pour trouver des matériaux intéressants, notamment des végétaux desséchés. Ramassez feuilles mortes, capsules de graines, fleurs séchées et brindilles, puis créez des motifs simples sur du papier de chiffon ou du papier d'écorce.

CI-CONTRE – Utilisez des matériaux naturels pour confectionner des cartes de vœux et des étiquettes artisanales.

88

CI-DESSUS — *Cette ravissante carte de vœux s'orne
d'une feuille de hêtre coupée en forme de cœur et montée
sur un fond de monnaies-du-pape.*

À GAUCHE — *De minuscules chrysanthèmes séchés ont
été disposés de façon géométrique sur un carré de papier en
fibres naturelles, lui-même collé sur une « carte » en papier
de chiffon. Les deux morceaux de papier ont été déchirés,
pour donner aux contours un effet de flou plus naturel.*

À DROITE — *Ce rameau de chêne attaché à du papier
d'écorce avec une ficelle dorée fait une charmante étiquette.*

GUIRLANDE D'ÉPICÉA ET D'AMARYLLIS

En hiver, dans la nature, il existe de nombreux matériaux rose tendre et framboise et pourtant, on les ignore souvent, leur préférant traditionnellement le rouge. Ici, la combinaison d'épicéa bleu froid, de brindilles couvertes de lichen, de bougies vert pomme et d'amaryllis couleur framboise donne une harmonie hivernale pleine de fraîcheur.

FOURNITURES

3 blocs de mousse synthétique
couteau de cuisine
bande de grillage de 25 cm de large
5 petits seaux en métal
sécateur
2 branches d'épicéa bleu
pépites de verre ou petites billes
3 grosses bougies vertes
4 fines bougies vertes
raphia fin ou ficelle
6 tiges d'amaryllis (Hippeastrum)
10 branches de mélèze recouvertes de lichen
2 grosses grappes de raisin rouge

CI-CONTRE – Les bougies et les fleurs sont disposées dans des petits seaux en métal qui jettent un éclat argenté.

1 Imbibez d'eau la mousse synthétique, coupez chaque bloc en deux dans la longueur et laissez égoutter. Enroulez le grillage autour des blocs en ménageant des espaces pour les seaux. Séparez l'épicéa en branchettes que vous disposez sur la mousse synthétique, comme base de la guirlande.

2 Placez une grosse poignée de billes au fond de chaque seau, puis plantez une grosse bougie dans trois seaux. Attachez les bougies fines par paires, à l'aide de ficelle ou de raphia, et mettez une paire dans chaque seau restant. Versez de l'eau, puis ajoutez aux grosses bougies deux tiges d'amaryllis.

3 Disposez les petites branches de mélèze parmi l'épicéa. Pour finir, coupez les grappes de raisin et mettez-en quelques-unes devant chaque seau.

POT-POURRI AUX ROSES ET AUX ÉPICES

Ce riche mélange de roses, de lavande et d'épices fait un pot-pourri sensuel et chaleureux. En fixant l'arôme avec de la poudre de racine d'iris, vous devriez pouvoir en profiter tout l'hiver. Si vous voulez en réveiller le parfum (par exemple, lorsque vous recevez des invités), jetez dessus quelques gouttes d'eau bouillante.

FOURNITURES

cire à dorer d'encadreur

7 bâtons de cannelle coupés en trois

18 fruits d'anis étoilé

6 ml/120 gouttes d'huile essentielle de lavande

3 ml/60 gouttes d'huile essentielle de géranium

2 ml/40 gouttes d'huile essentielle de clous de girofle

petit flacon

1/2 cuillerée à café de noix de muscade en poudre

25 g de poudre de racine d'iris

bols à mélanger

grand récipient

25 g de clous de girofle entiers

15 g de macis séché

115 g de lavande séchée

225 g de boutons de rose séchés

1 Frottez les bâtons de cannelle et les fleurs d'anis étoilé avec de la cire à dorer d'encadreur.

CI-DESSOUS – Choisissez de jolies roses aux tons pêche et jaune pour ajouter une note de gaieté à votre pot-pourri.

2 Mélangez les huiles essentielles dans le flacon. Versez sur les poudres de noix de muscade et de racine d'iris, et mélangez. Couvrez et laissez dans un endroit sombre vingt-quatre heures.

3 Mettez la cannelle, l'anis étoilé et le reste des ingrédients dans le grand récipient, et ajoutez le mélange précédent. Couvrez et laissez reposer six semaines dans un endroit sombre avant utilisation.

POMMES D'AMBRE

Réalisez des pommes d'ambre qui sortent de l'ordinaire en remplaçant le traditionnel ruban par de la fibre de raphia et en les décorant avec un brin de houx diapré. Pendant des siècles, on a fait sécher les pommes d'ambre avec de la racine d'iris avant de les entreposer plusieurs semaines dans un endroit sec et chaud. Aujourd'hui, il est possible de les faire sécher au four ; cependant, la méthode traditionnelle permet d'obtenir une pomme d'ambre plus dure.

FOURNITURES
oranges à écorce tendre, comme la navel
petit couteau bien aiguisé
clous de girofle
broche
raphia
feuilles de houx diaprées

1 Préchauffez le four à 110 °C (th. 3). À l'aide du petit couteau, fendez l'écorce des oranges en leur centre. Cela permet d'accélérer le séchage au four. Piquez une rangée de clous de girofle de chaque côté de la fente. Continuez à enrichir le motif en piquant une triple rangée de clous de girofle de part et d'autre de la fente.

ASTUCE
Si vous optez pour un motif géométrique, faites une fente à chaque quartier. Pour un motif plus libre, laissez le devant de l'orange intact et contentez-vous de faire une fente de chaque côté et une autre au dos du fruit. Pour les motifs géométriques, incluez la fente dans le dessin.

CI-CONTRE — À la place des traditionnels motifs géométriques, dessinez des formes de cœur et d'étoile.

2 Décorez le haut et le bas des oranges avec des cercles concentriques de clous de girofle.

3 Enfoncez une broche à travers la fente des oranges et posez les extrémités sur les bords d'un plat creux pour permettre à l'air de circuler autour des fruits. Enfournez le plat et laissez chauffer douze heures. Nouez du raphia autour de chaque pomme d'ambre et faites une boucle pour l'accrocher ; décorez d'un brin de houx.

COMPOSITION AVEC POMMES ET LIERRE

Confectionnez une décoration hivernale originale avec de jolies pommes rouges bien lustrées et du lierre à baies. Les grappes de petites pommes sauvages permettent de jouer sur les volumes de l'ensemble.

FOURNITURES

urne

feuille de plastique

bloc de mousse synthétique

couteau de cuisine

fils de fer de fleuriste de gros calibre

environ 16 pommes rouges

2 branches de pommier sauvage

sécateur

lierre à baies

CI-DESSOUS – La couleur framboise des bougies rappelle celle des pommes.

1 Doublez l'urne de plastique. Imbibez d'eau la mousse synthétique, égouttez et coupez aux dimensions de l'urne. Enfoncez un fil de fer à travers chaque pomme et tordez les extrémités ensemble.

2 Piquez un cercle de pommes le long du bord de l'urne. Faites un deuxième cercle de pommes par-dessus le premier, puis ajoutez une dernière pomme en haut, pour créer un dôme.

3 Montez les grappes de pommes sauvages sur fil de fer et disposez-les entre les grosses pommes rouges. Coupez le lierre à baies et enfoncez les tiges dans la mousse.

4 Comblez les vides avec d'autres grappes de pommes sauvages montées sur fil de fer.

HOUX ET GRENADES

Les grenades sont des fruits très décoratifs, surtout lorsqu'on les ouvre pour faire apparaître leurs graines couleur rubis. Dans cette variation sur le traditionnel thème du rouge et vert, le mélange de houx diapré et de quartiers de grenades fait merveille.

FOURNITURES
blocs de mousse synthétique
grand récipient peu profond
brassée de houx diapré
sécateur
baies de houx (Ilex verticillata)
couteau
6 grenades
24 fils de fer de fleuriste de gros calibre

CI-DESSUS – Ces quartiers de grenades accrochés dans des branches de houx diapré ressemblent à des joyaux.

1 Imbibez d'eau la mousse synthétique, égouttez et placez au fond du récipient. Plantez un brin de houx à l'arrière et un de chaque côté, en éventail.

2 Garnissez avec des branches de houx en coupant les tiges pour obtenir une forme arrondie. Ajoutez les baies de houx ici et là.

3 Coupez les grenades en quatre dans la longueur et passez un fil de fer à travers chaque quartier. Repliez l'extrémité du fil de fer pour fermer.

4 Répartissez les quartiers de grenades dans la mousse, en tordant les fils de fer si nécessaire pour faire tenir les fruits dans la position souhaitée.

98

CŒUR DE CANNEBERGES

Ce joli cœur rouge vif en canneberges et raphia constitue une décoration très moderne. De la fin de l'automne au milieu de l'hiver, les canneberges sont faciles à trouver. Elles gardent leur belle couleur brillante pendant plusieurs semaines, même si les baies se ratatinent un peu en séchant.

FOURNITURES
pince coupante
1 m de fil de fer de jardin coupé en deux
1 panier de canneberges
bobine de fil de fer de fleuriste
raphia

1 Faites un crochet à une extrémité d'un fil de fer. Enfilez les canneberges par l'autre extrémité. Finissez par un crochet à l'extrémité libre et fermez l'anneau. Répétez l'opération avec l'autre fil de fer.

2 Repliez les anneaux en forme de cœur. Mettez un cœur à l'intérieur de l'autre et attachez-les, en haut et en bas, avec le fil de fer en bobine.

3 Enroulez de la fibre de raphia autour du cœur, en la glissant entre les baies. Faites une boucle en haut pour l'accrocher.

LE DOUX REPOS
DE L'HIVER

Et maintenant la neige tombe en lourds flocons d'oubli,
Tombe lentement.

Oscar V. de Milosz (1877-1939)

CI-DESSUS — Le jasmin d'hiver produit des fleurs délicates,
et pourtant très résistantes, pendant tout l'hiver et jusqu'au printemps.

CI-CONTRE — Ce panier de jardin en métal rempli
de houx diapré jette une note de gaieté au cœur de l'hiver.

Quand l'hiver s'installe et que la nature se recroqueville sous son édredon de neige, passez de délicieuses soirées bien au chaud, à confectionner des décorations avec le butin amassé pendant l'été et séché ou naturalisé – feuillages, fleurs, brindilles, fèves... Les plantes à feuilles persistantes sont toujours là, bien sûr, et vous pouvez marier le houx et le lierre à l'eucalyptus aux tons plus doux.

À mesure que les semaines passent, et au moment même où nous croyons que la nature s'est endormie, des fleurs apparaissent : le jasmin d'hiver *(Jasminum nudiflorum)* produit de minuscules fleurs jaunes et des pousses vertes au moindre redoux, et ce jusqu'au printemps. L'hellébore à la délicate tête penchée et aux teintes subtiles, allant du blanc au vert, du rose pâle au rouge, se manifeste vers la fin de l'hiver pour fleurir jusqu'au printemps. Le courageux

CI-DESSUS — Les fleurs blanches de la rose de Noël ou rose d'hiver (Helleborus niger), étoilent la campagne hivernale.

perce-neige pointe sa tête à travers la croûte de terre durcie... Et comme si elles cherchaient à adoucir les rigueurs de la saison froide, de nombreuses fleurs, comme celles du chèvrefeuille d'hiver *(Lonicera purpusii)*, et du daphné d'hiver *(Daphne odora)*, dégagent un délicieux parfum.

Au plus froid de l'hiver, laissez-vous guider par la nature et décorez votre maison avec des fleurs blanches comme neige, qui parfumeront

CI-CONTRE — Même au plus froid de l'hiver, la nature produit des baies et des fleurs.

les pièces. Pour faire ressortir leur pureté, disposez-les dans des récipients blancs qui, ainsi, refléteront la pâle lumière hivernale.

Plantez quelques oignons de fleurs d'intérieur – lorsque leurs pousses vigoureuses perceront la terre, elles vous rappelleront le travail que la nature est en train d'accomplir, sous son apparente léthargie. Bientôt, cette énergie se manifestera aussi dehors, et vous verrez poindre les premières pousses. Dans l'intervalle, profitez des bourgeons et du parfum des bulbes qui s'épanouissent à l'intérieur.

CI-DESSUS – La neige tapisse la campagne, protégeant ainsi les végétaux du gel.

105

ANNEAU D'EUCALYPTUS ET D'HELLÉBORES

Les feuilles bleu-vert de l'eucalyptus ont une apparence glacée, surtout si on les associe à des fleurs hivernales blanches, telles que la rose de Noël ou rose d'hiver *(Helleborus niger)*. Si vous n'en trouvez pas, remplacez-les par des anémones blanches qui feront le même effet.

FOURNITURES
couteau de cuisine
boule de mousse synthétique de 18 cm de diamètre
assiette de 23 cm de diamètre
4 bougies d'église de 2,5 cm de diamètre
ciseaux
brassée d'eucalyptus à petites feuilles
16 roses de Noël (Helleborus niger),
ou anémones blanches

1 Coupez la boule de mousse en deux et retaillez un morceau aux dimensions de l'assiette. Faites-la tremper dans l'eau et laissez égoutter. À l'aide du couteau de cuisine, coupez la base de trois bougies, de façon que celles-ci soient de longueur différente. Coupez les mèches aux ciseaux. Enfoncez les bougies au centre de la mousse.

CI-CONTRE – La pureté froide de l'eucalyptus convient à merveille aux bougies d'église.

2 Coupez l'eucalyptus en segments de 15 cm et recouvrez-en complètement la mousse.

3 Coupez les tiges d'hellébores à 12,5 cm des fleurs, et ajoutez-les à la composition, à intervalles irréguliers.

ÉTOILE D'EUCALYPTUS

Le joli feuillage persistant de l'eucalyptus se prête bien au séchage,
tout en conservant sa belle couleur bleu-vert, même si les feuilles
rétrécissent un peu. Cette étoile délicate fait
une élégante décoration hivernale, qui séchera
progressivement et durera plusieurs semaines.

FOURNITURES
12 branches de saule-osier de 60 cm de long
sécateur
bobine de fil de fer de fleuriste
eucalyptus à petites feuilles

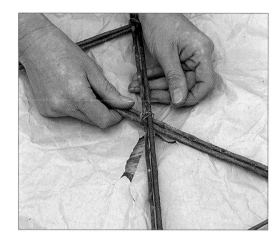

2 Superposez les triangles de façon à créer une
forme d'étoile et attachez-les avec du fil de fer à
chaque point de croisement.

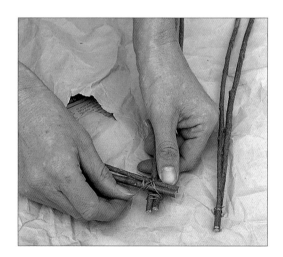

I Avec du fil de fer, attachez les branches de saule
par deux aux extrémités. Formez deux triangles
composés de trois paires, avec du fil de fer.

3 Attachez les branches d'eucalyptus à la base en
saule-osier à l'aide de fil de fer, de façon à garnir
complètement l'étoile.

LUSTRE DE NOËL

 Le houx diapré est toujours très décoratif ; résistant, il convient bien à la réalisation de ce superbe lustre de Noël. Ici, on a utilisé du houx sans épines, plus facile à manipuler.

FOURNITURES
grosses pommes de pin
papier journal
peinture en aérosol vieil or
panier en fer forgé
branches de houx diapré
sécateur
bobine de fil de fer de fleuriste

2 Sélectionnez de jeunes branches de houx aux petites ramifications et fixez-les au panier à l'aide du fil de fer de fleuriste en bobine.

1 Dans un endroit ventilé, vaporisez les pommes de pin avec la peinture vieil or. Laissez sécher. Mettez les pommes de pin dans le panier.

3 Pour finir, attachez un brin de houx sous le panier avec du fil de fer.

PYRAMIDE D'EUCALYPTUS

 Cette pyramide d'eucalyptus posée sur une coupe en verre fait un élégant centre de table, simple et rapide à réaliser. La base est en mousse synthétique, ce qui permet à la pyramide de conserver sa fraîcheur un jour ou deux. Une fois sèche, elle fera une composition durable.

FOURNITURES

cône en mousse synthétique de 20 cm de haut

coupe en verre

sécateur

brins d'eucalyptus à petites feuilles

boutons d'eucalyptus

2 De bas en haut, disposez les branches d'eucalyptus à angle de plus en plus droit par rapport au cône.

1 Placez le cône de mousse sur la coupe, puis piquez quelques brins d'eucalyptus à la base.

3 Une fois le cône complètement garni, répartissez les boutons d'eucalyptus.

MOSAÏQUE DE HARICOTS SECS

Les haricots séchés, avec leurs différentes formes, dimensions et couleurs, font de belles mosaïques. Pour réussir la vôtre, travaillez en cercles concentriques ou en lignes droites.

FOURNITURES

cadre en bois carré de 14 cm
morceau de papier aux dimensions de l'envers du cadre
crayon-feutre
colle
haricots mungo
haricots blancs

1 Pliez le morceau de papier en deux ; dessinez et découpez une demi-forme de cœur. Au plus large, le cœur doit mesurer 1,5 cm de moins que le cadre. Positionnez-le au centre du papier d'entoilage et tracez une ligne autour.

2 Enduisez de colle le contour tracé.

CI-CONTRE – C'est le contraste entre ces deux variétés de haricots qui fait le charme de cette mosaïque toute simple.

3 Disposez des haricots *mungo* sur la colle. Faites une autre ligne de colle à l'intérieur de la première et placez une autre rangée de *mungo*. Continuez ainsi, en travaillant en cercles concentriques, jusqu'à ce que tout le cœur soit garni.

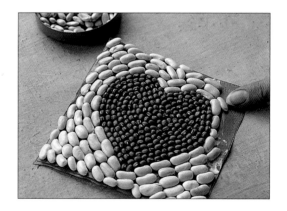

4 Enduisez de colle l'extérieur du cœur et faites une ligne de haricots blancs. Continuez ainsi en travaillant vers l'extérieur, puis garnissez les coins en utilisant un haricot à la fois. Encadrez.

CŒUR DE ROSES SÉCHÉES

Les formes en cœur plaisent tou-jours. Celle-ci, confectionnée avec des feuilles de hêtre naturalisées et des boutons de roses jaunes séchés, fait un présent ravissant et une décoration durable à placer n'importe où dans la maison.

FOURNITURES
75 cm de fil de fer de jardin
tenailles
ruban adhésif de fleuriste
bobine de fil de fer de fleuriste
brindilles de hêtre avec feuilles naturalisées
12 boutons de roses jaunes séchés

2 Déformez l'anneau de façon à obtenir une forme en cœur.

4 Coupez douze morceaux de fil de fer de 5 cm de long et passez chacun à travers la base d'un bouton de rose. Tordez les extrémités ensemble.

1 Avec le fil de fer de jardin, faites un anneau en fermant les extrémités recourbées en crochets. Enveloppez l'anneau de ruban adhésif de fleuriste.

3 À l'aide du fil de fer en bobine, attachez les brindilles de hêtre au cœur, en les tordant de façon qu'elles épousent bien les contours.

5 Attachez les boutons de roses sur le cœur, à intervalles réguliers. Rentrez les extrémités des fils de fer sur l'arrière du cœur.

BOULES DE FLEURS ET DE FEUILLES PERSISTANTES

Les boules de mousse recouvertes de feuilles et de fleurs font de jolies décorations. Ce projet a été réalisé avec des feuilles de chêne et de hêtre, ainsi que des fleurs d'hortensia naturalisées. La boule « fleurie » comporte une base en feuilles de hêtre. Frottez les feuilles et fleurs à la cire à dorer d'encadreur avant de les coller.

FOURNITURES

cire à dorer d'encadreur

feuilles de hêtre naturalisées

pistolet à colle et bâtons de colle

boule de mousse synthétique de 10 cm de diamètre

têtes d'hortensia naturalisées

ciseaux

1 Dorez les feuilles de hêtre. Prenez-les une par une, encollez leurs nervures et fixez-les tout autour de la boule de mousse, sur une rangée.

2 Garnissez ainsi la boule de feuilles, moitié par moitié. Laissez-la telle quelle ou passez à l'étape 3.

CI-CONTRE — Un ruban rouge réveille les végétaux séchés.

3 Frottez les fleurons d'hortensia avec un peu de cire à dorer d'encadreur. Coupez les tiges à 3 mm des fleurons.

4 Mettez un point de colle au dos de chaque fleuron et collez sur les feuilles, en laissant les bords de pétales se recroqueviller naturellement, pour donner du relief à la décoration.

DÉCORATIONS DE FENÊTRES HIVERNALES

 En hiver, quand la lumière est rare, transformez vos fenêtres en éléments décoratifs. Associez des branches d'arbres à feuilles persistantes, ou des brindilles couvertes de lichen et de pommes de pin, à des lanternes munies de bougies. Ou bien donnez de l'éclat à vos rebords de fenêtres avec des petits bouquets blancs. De nombreuses fleurs d'hiver ont un parfum merveilleux, qui embaumera la maison. Selon le moment de la saison, choisissez entre les perce-neige, les narcisses et les hellébores.

CI-DESSOUS — Rehaussez la beauté naturelle d'une branche recouverte de lichen et de pommes de pin avec un peu de cire à dorer d'encadreur. Accrochez-la à la fenêtre à l'aide d'un cordon doré. Complétez votre décoration par une rangée de lanternes. Ne laissez jamais une bougie allumée sans surveillance et ne tirez pas les rideaux par-dessus.

CI-DESSUS — À une poignée de fenêtre,
vous pouvez suspendre des petits bouquets
de narcisses placés dans des flacons à orchidée
et dissimulés par du ruban d'organdi translucide.

CI-CONTRE — Éclairez vos rebords de fenêtre
avec des petits bouquets de narcisses placés dans
des vases blancs comme neige.

121

PETITS BOUQUETS D'HIVER

Même si peu de plantes fleurissent au cœur de l'hiver, certaines produisent de petites fleurs, et leur rareté nous les rend d'autant plus attachantes. À la fin de l'hiver, on trouve plutôt des fleurs blanches – perce-neige, hellébores *(Helleborus niger)*. Les petits bouquets de fleurs pâles, ou de feuillages gris-vert qui semblent avoir été touchés par le gel, évoquent la paix silencieuse d'un clair matin d'hiver où tout dort, sous une couverture de neige qui scintille au soleil. Leurs pétales presque incolores font écho à la douce lumière hivernale et nous parlent du printemps à venir.

CI-DESSOUS – Les boutons d'eucalyptus semblent recouverts de givre. Assemblez-les avec du feuillage et enveloppez ce joli bouquet d'hiver de papier translucide.

CI-DESSUS – En fanant, les anémones blanches prennent une superbe teinte écrue. Attachez-les avec un ruban de couleur assortie à celle de leurs pétales et disposez-les dans une tasse à thé de couleur crème.

PAGE CI-CONTRE – Le magnifique hellébore blanc (Helleborus niger) *est l'une des rares fleurs qui s'épanouisse au cœur de l'hiver. Il fleurit jusqu'au printemps et tient bien, même une fois coupé. Intégrez-le dans une délicate composition à base de verre et de bougies.*

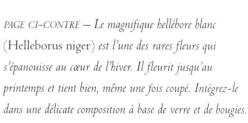

COMPOSITIONS AVEC DES PLANTES À BULBES

Étant donné le peu de signes de vie parmi la végétation hivernale, les premières pousses qui crèvent la terre durcie nous sont chères. Les plantes à bulbes cultivées en intérieur font des pousses dès la seconde moitié de l'hiver.

Si vous voulez que vos plantes d'intérieur fleurissent plus tôt que les autres, plantez-les en automne et gardez-les six semaines dans un endroit chaud et sombre pour favoriser la germination. Si vous avez oublié de faire ces plantations, achetez des plants de jacinthe ou

de narcisse et replantez-les chez vous. Les plantes à bulbes sont merveilleuses même avant la floraison, leurs vigoureuses pousses vertes recelant la promesse de délicats pétales parfumés. Elles poussent à une vitesse étonnante et leurs longues feuilles minces sont très élégantes.

CI-DESSUS — À l'aide de morceaux de fil de fer de fleuriste repliés en épingles à cheveux, fixez les feuilles sur la mousse naturelle disposée autour des jeunes pousses.

CI-CONTRE — Une couverture de feuilles d'automne protège les bulbes du froid et fait une jolie garniture, tandis que les pousses se préparent à fleurir.

*CI-DESSUS — Plantez une jacinthe par pot, puis arrangez
les pots par paires ou par groupes plus importants.*

*CI-CONTRE — Les jacinthes se passent très bien de terre
pourvu que leurs racines trempent dans de l'eau. Mettez-les
dans des bocaux en verre qui laisseront voir leurs délicates
racines translucides. Vous pouvez également leur faire
une collerette de feuilles d'automne, comme ci-contre.*

ADRESSES UTILES

LES COUTURIERS DE LA NATURE
Compositions à base de fleurs séchées ou lyophilisées.
Compositions avec fruits à écale et haricots blancs.
23, rue Saint-Sulpice
75006 Paris
Tél. : 01 56 24 06 08

GRAPHIGRO
Fournitures d'artiste, matériel de graphisme.
133, rue de Rennes
75006 Paris
Tél. : 01 42 22 51 80

207, bd Voltaire
75011 Paris
Tél. : 01 43 48 23 57

157, rue Lecourbe
75015 Paris
Tél. : 01 42 50 45 49

120, rue Damrémont
75018 Paris
Tél. : 01 42 58 93 40

L'HERBIER DE PROVENCE
Pots-pourris, bougies parfumées, eaux florales,
atomiseurs d'ambiance et diffuseurs de parfum, huiles
essentielles, centre de table avec décoration de lavande.
44, rue de Lévis
75017 Paris
Tél. : 01 42 27 28 59

99, rue de Rivoli
75001 Paris
Tél. : 01 42 86 83 23

DÉBALLAGE ET MERCERIE DU
MARCHÉ SAINT-PIERRE-DREYFUS
Tissus et mercerie.
20, rue Pierre-Picard
75018 Paris
Tél. : 01 46 06 57 65

L'OCCITANE
Huiles essentielles, pots-pourris, senteurs d'intérieur
dérivées de végétaux (fruits, fleurs, bois, écorces),
sachets et coussins garnis de lavande.
Siège social
ZI Saint-Maurice
04100 Manosque
Tél. : 04 92 70 19 00
N° Vert : 0800 20 11 46
Boutiques à Cannes, Colmar, Le Puy,
Lyon, Manosque, Paris, Reims, Rennes,
Saint-Étienne, Strasbourg, Toulouse, Troyes.

CHRISTIAN TORTU
Compositions florales à base de fleurs fraîches,
déshydratées ou naturalisées.
6, carrefour de l'Odéon
75006 Paris
Tél. : 01 43 26 02 56

JARDINERIE TRUFFAUT
Jardinerie, fleuriste, paysagiste, décoration florale.
83, quai de la Gare
75013 Paris
Tél. : 01 53 60 84 50

rte d'Orléans
91620 La Ville-du-Bois
Tél. : 01 69 63 32 32

C. cial Parly II
78150 Le Chesnay
Tél. : 01 39 23 90 20

Ste Appoline
rte nationale 12
78370 Plaisir
Tél. : 01 30 79 20 50

41, av. de l'Europe
78140 Vélizy-Villacoublay
Tél. : 01 30 70 88 33

rte de St-Cyr-en-Val
45650 st-Jean-le-Blanc
Tél. : 02 38 22 69 70

REMERCIEMENTS DE L'AUTEUR
C'est d'abord la nature que je veux remercier,
car ce sont ses formes et ses couleurs qui m'ont
inspiré les projets présentés dans cet ouvrage.
J'espère avoir communiqué à mes lecteurs mon
enthousiasme pour les merveilleux matériaux
qu'elle met à notre disposition. Merci à Debbie,
dont les superbes photographies restituent bien
la beauté des choses qui nous entourent, et à
son bébé Fin, dont l'arrivée tardive nous a permis
de travailler bien avant dans l'hiver. Toute ma
gratitude également à Helen, qui a transformé
les matériaux avec tant de talent et nous a prodigué
ses encouragements, à Debbie et à moi-même.

Les citrouilles sculptées ont été fournies
par Mary Maguire et Deborah Schneebeli-Morrell.

NOTE DE L'ÉDITEUR
L'éditeur tient à remercier Wildlife and Garden
Matters Picture Library qui l'a autorisé à reproduire
les photographies des pages 80, 83 (droite) et 105.

INDEX

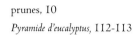